Beibl
newydd
y plant

Fy Enw

_____

Beibl
newydd
y plant

188 o storïau i'w mwynhau gyda'n gilydd

CYHOEDDIADAU'R GAIR

Cyhoeddwyd yn wreiddiol gan Scripture Union,
o dan y teitl Big Bible Storybook.

Testun: Tîm ysgrifennu 'Light: Bubbles' yn enwedig Christine Wright,
Maggie Barfield, Kathleen Crawford a Alison Hulse.

Dylunio: Mark Carpenter Design Consultants
Cyfeillion o'r Beibl: Mark a Anna Carpenter
Ffotograffiaeth: David Vary

Cyd-argraffiad byd eang wedi'i drefnu gan
Lion Hudson plc, Rhydychen

Beibl Newydd y Plant: Cyhoeddiadau'r Gair 2009
Addasiad Cymraeg: Angharad Llwyd-Jones
Golygydd Cyffredinol: Aled Davies
Cysodi: Rhys Llwyd
ISBN: 978 1 85994 614 3

Dymuna'r cyhoeddwyr gydnabod cefnogaeth Cyngor Llyfrau Cymru.

Argraffwyd yn Singapore gan Wasg Tien Wah.

Cyhoeddwyd gan
Cyhoeddiadau'r Gair, Cyngor Ysgolion Sul Cymru,
Ael y Bryn, Chwilog, Pwllheli, Gwynedd LL53 6SH.

Sut hwyl!

Croeso i Beibl Newydd y Plant, casgliad o 188 o storïau o'r Beibl y bydd plant ifanc ac oedolion yn mwynhau eu darllen gyda'i gilydd.

Mae gan blant feddyliau eang pan fyddan nhw'n meddwl am Dduw, a bydd Beibl Newydd y Plant yn symbylu eu syniadau, eu dealltwriaeth, eu dychymyg a'u brwdfrydedd.

Mae Beibl Newydd y Plant yn dechrau gyda chreu'r byd yn Genesis ac yn eich arwain ar daith arbennig, drwy'r Hen Destament a'r Testament Newydd, i ddinas Duw yn y Datguddiad.

Ar y daith, byddwch yn cyfarfod â ffrindiau newydd, yn teithio i fannau cyffrous ac yn clywed rhai o'r storïau gorau a adroddwyd erioed. Bydd pob un o'r storïau'n eich helpu i gyfarfod â Duw, i wybod pwy a sut un ydy e – a sut y gallwch fod yn un o'i ffrindiau.

Maggie Barfield

Cynnwys

**Storïau Beiblaidd o'r
Hen Destament**

Duw'r Crëwr

Duw'r crëwr   11
Duw'n creu golau ac awyr
Duw'n creu tir, môr a phlanhigion
Duw'n creu sêr a phlanedau
Duw'n creu'r haul
Duw'n creu anifeiliaid
Mae Duw yn fy nabod
Y bobl gyntaf
Yng ngardd Duw
Gadael gardd Duw

Noa

Noa'n adeiladu cwch   22
Noa a'r dilyw mawr
Noa a'r enfys

Abraham ac Isaac

Bywyd newydd i Abraham   25
Lle newydd i Abraham fyw
Teulu newydd i Abraham
Isaac a Rebeca

Jacob a Joseff

Jacob ac Esau   30
Duw'n siarad â Jacob
Jacob yn mynd yn ôl adref
Joseff a'i frodyr
Joseff yn mynd i'r Aifft
Gwaith pwysig Joseff
Joseff yn helpu ei deulu

Moses a Josua

Baban mewn basged   39
Duw'n siarad â Moses
Pryd bwyd i'w gofio

Croesi'r Môr Coch
Byw yn yr anialwch
Rheolau Duw
Moses yn cyfarfod Duw
Josua'n arwain pobl Dduw
Croesi'r afon
Waliau Jericho

Gideon a Debora

Duw'n dewis Gideon   51
Gideon yn gwrando ar Dduw
Debora

Ruth a Samuel

Naomi a Ruth   55
Ruth a Boas
Geni Samuel
Samuel ac Eli
Samuel yr arweinydd

Dafydd a Solomon

Dafydd y bugail ifanc   62
Cân Dafydd
Dafydd a Goliath
Dafydd a Jonathan
Dafydd mewn trwbwl
Dafydd a'r Brenin Saul
Dafydd yn dathlu
Camgymeriad mawr Dafydd
Solomon yn gofyn am ddoethineb
Solomon yn adeiladu i Dduw
Solomon yn moli Duw

Elias ac Eliseus

Duw'n bwydo Elias   76
Duw'n helpu teulu
Duw'n dangos ei bŵer
Duw'n siarad ag Elias
Eliseus yn helpu teulu tlawd
Cartref i Eliseus
Eliseus a Naaman
Duw'n siarad ag Eliseus

Heseceia a Joseia

Ffydd Heseceia yn Nuw 85
Heseceia ac Eseia
Moli Duw!
Joseia'n frenin!
Joseia'n darllen llyfr Duw

Jeremeia ac Eseciel

Jeremeia'n gweld crochenydd 92
Jeremeia'n prynu cae
Jeremeia a'r sgrôl
Jeremeia i lawr y pydew
Duw'n siarad ag Eseciel
Eseciel a Duw

Daniel ac Esther

Bywyd newydd Daniel 99
Breuddwyd y brenin
Ffrindiau Daniel
Daniel yn gweddïo ar Dduw
Esther hardd
Esther yn achub pobl Dduw

Jona

Jona'n rhedeg i ffwrdd 108
Jona'n ufuddhau i Dduw

Nehemeia

Nehemeia'n mynd adref 110
Nehemeia'n adeiladu i Dduw
Nehemeia mewn trwbwl
Nehemeia'n arwain y ffordd
Geiriau hyfryd yn y Beibl!

Storïau Beiblaidd o'r Testament Newydd

Geni Iesu

Y Baban Ioan 119
Neges i Mair
Cân Mair
Neges i Joseff
Geni Iesu
Neges i'r bugeiliaid
Simeon ac Anna
Neges i'r dynion doeth

Cyfarfod Iesu

Iesu'r bachgen 130
Ioan yn bedyddio Iesu
Iesu yn yr anialwch
Newyddion da yn y Beibl
Cyfarfod Iesu
Iesu'n mynd i briodas
Yn nhŷ Pedr
Iesu'n siarad â Duw
Dyn yn dioddef o'r gwahanglwyf
Ymwelydd fin nos
Dynes yn nôl dŵr
Dyn mewn angen
Dyn wrth ymyl y pwll
Iesu'n gwella dyn
Dyn â llaw wedi'i niweidio
Dyn oedd yn methu cerdded
Dyn wrth ei waith
Iesu'n helpu milwr
Iesu'r arweinydd

Storïau am Iesu

Iesu'r storïwr 154
Iesu'n helpu gwraig
Gwraig ac anrheg ganddi
Stori'r hadau
Plannu a thyfu
Trysor wedi'i guddio
Perl hardd
Iesu'n tawelu'r storm
Jairus a'i ferch

Bara i bawb
Dŵr yn rhoi bywyd
"Fi yw'r goleuni"

Mae Iesu yn arbennig

Mae Iesu'n arbennig   168
Gwraig anghenus
Iesu'n bwydo llawer o bobl
Pedr yn nabod Iesu
Disgleiria, Iesu!
Iesu'n dweud stori
Dwy chwaer gyfeillgar
Gweddïo fel Iesu
Gweddi Iesu
Gwraig â phoen yn ei chefn
Hedyn bychan
Burum
Dewch i'r parti!
Golau i'r holl fyd

Iesu, y ffrind gorau

Y ddafad aeth ar goll   187
"Fi yw'r giât"
Y darn arian oedd ar goll
Tad cariadus
Iesu'n gwella pobl
Mr Balch a Mr Mae'n Ddrwg Gen I
Iesu a'r plant
Dyn ifanc cyfoethog
Dyn ar ochr y ffordd
Iesu'r ffrind

Mae Iesu'n fyw

Sul y Blodau   199
Iesu'n golchi traed
Pryd o fwyd gyda Iesu
Pedr yn siomi Iesu
Iesu'n marw
Sul y Pasg
Mae Iesu'n fyw!
Ble mae Iesu?
Iesu a Mair
Ar y ffordd i Emaus
Yn nes ymlaen y Sul hwnnw
Iesu'n cyfarfod â'i ffrindiau
Iesu a Tomos

Pysgod i frecwast
Ffrindiau unwaith eto
Mae Iesu gyda ni
Iesu'n mynd i'r nefoedd

Ffrindiau Iesu

Yn gynnar un bore   221
Cerdded, neidio a moli Duw
Siarad am Iesu
Dewis Steffan
Philip
Aeneas a Dorcas
Cornelius
Pedr

Anturiaethau Paul

Paul yn cyfarfod Iesu   232
Barnabas yn helpu Paul
Lydia'n ymuno â'r eglwys
Paul a Silas
Paul a'i ffrindiau newydd
Paul ar daith
Paul mewn perygl
Paul yn siarad am Iesu
Mae Paul yn saff
Paul yn ysgrifennu llythyrau
Epaffroditus
Philemon
Llythyr at Timotheus

Gyda Duw am byth

Iesu arbennig!   248
Dinas Duw

Storïau Beiblaidd o'r Hen Destament

"Trugarog a graslon yw'r Arglwydd,
araf i ddigio a llawn ffyddlondeb."
Salm 103:8

O Arglwydd, ein Iôr,

mor ardderchog yw dy enw

ar yr holl ddaear!

Codaist amddiffyn rhag dy elynion

O enau babanod a phlant sugno ...

Salm 8:1–2

Duw'r crëwr

Dyma fyd arbennig Duw.

Dyma'r haul, sy'n disgleirio'n llachar,
a roddodd Duw yn ei fyd arbennig.

Dyma'r lleuad arian a'r sêr,
a roddodd Duw yn ei fyd arbennig.

Dyma'r môr gyda thonnau'n tasgu,
a roddodd Duw yn ei fyd arbennig.

Dyma greaduriaid sy'n byw yn y môr,
a roddodd Duw yn ei fyd arbennig.

Dyma'r awyr, fyny fry,
a roddodd Duw yn ei fyd arbennig.

Dyma'r adar sy'n hedfan yn yr awyr,
a roddodd Duw yn ei fyd arbennig.

Dyma'r tir gyda phlanhigion a choed,
a roddodd Duw yn ei fyd arbennig.

Dyma gymylau glaw sy'n dyfrhau'r tir,
a roddodd Duw yn ei fyd arbennig.

Dyma anifeiliaid, mawr a bach,
a roddodd Duw yn ei fyd arbennig.

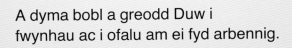

A dyma bobl a greodd Duw i
fwynhau ac i ofalu am ei fyd arbennig.

Salm 104

Duw'n creu golau ac awyr

Yn y dechreuad, doedd dim byd o gwbwl.

Yna, creodd Duw fyd.

Roedd Duw eisiau iddo fod yn lle arbennig.

Ond roedd popeth yn dywyll ac yn wag.

Roedd Duw eisiau i hyn newid. Creodd Duw olau. Erbyn hyn, roedd golau ac roedd tywyllwch.

Edrychodd Duw ar yr hyn a greodd a dweud, "Mae hyn yn dda. Rydw i'n falch fy mod wedi creu golau."

Yna creodd Duw yr awyr. Fyny fry uwchben y byd, cyn belled ag y gallwn weld, ac ymhellach.

Edrychodd Duw ar yr hyn a greodd a dweud, "Mae hyn yn dda. Rydw i'n falch fy mod wedi creu awyr."

Dydd a nos.

Y byd a'r awyr.

Dyna sut y creodd Duw nhw, a dyna sut y maen nhw heddiw.

Edrychodd Duw ar yr hyn a greodd. "Mae hyn yn dda iawn," dywedodd. "Bydd yn lle da i bobl fyw, pan fyddaf wedi gorffen creu fy myd."

Ac y mae.

Genesis 1:1–8

Duw'n creu tir, môr a phlanhigion

Roedd byd newydd Duw wedi'i orchuddio â dwr. Dywedodd Duw, "Rydw i eisiau creu môr a thir." Yn sydyn, llifodd y dŵr at ei gilydd.

Creodd foroedd ac afonydd, llynnoedd a phyllau, cefnforoedd a phyllau dŵr.

Ac yna roedd tir sych ar ôl. Gwnaeth Duw y tir hwn yn fynyddoedd creigiog, bryniau mwyn, anialwch sych a thraethau tywodlyd.

Edrychodd Duw ar y tir gyda'i bridd tywyll, cyfoethog. Edrychodd ar y moroedd sgleiniog, glas. Roedd Duw'n hapus.

Siaradodd Duw eto. "Rydw i eisiau creu planhigion," dywedodd. Ac ymddangosodd planhigion: planhigion tal, planhigion gwyrdd, planhigion â hadau i greu planhigion newydd, blodau a choed a gwair, planhigion ar dir a phlanhigion dŵr.

Edrychodd Duw ar yr hyn a greodd. Roedd wedi creu tir a môr a'u llenwi â phlanhigion. Roedd yn hapus, hapus iawn. "Mae hyn yn dda iawn," dywedodd.

Genesis 1:9–13

Duw'n creu sêr a phlanedau

 Creodd Duw awyr arbennig i ni. Yn ystod y dydd, mae'n llachar o liw glas golau, ac mae haul mawr disglair ynddo. Creodd Duw yr haul i'n cadw'n gynnes ac i oleuo'r dydd.

Creodd Duw awyr arbennig i ni. Yn ystod y nos, mae'n las tywyll dwfn ac mae lleuad lachar yn disgleirio ynddi. Weithiau, mae'r lleuad yn edrych yn fawr ac yn gron. Weithiau, mae'n siâp crwm, disglair. A dyma Duw'n creu nifer o sêr i ddisgleirio yn y tywyllwch ac i oleuo'r nos.

Mae Duw'n ein caru gymaint fel y creodd sêr prydferth a phlanedau, y lleuad a'r haul.

Genesis 1:14–19

Duw'n creu'r haul

 Yn y dechreuad, creodd Duw

yr haul disglair a'i osod yn yr awyr.

Creodd y planedau llachar i gylchu'r haul,

I fyny ac i lawr, rownd a rownd.

Roedd rhai o'r planedau'n fawr iawn,

A rhai'n fach iawn, iawn,

Ond roedden nhw i gyd yn dawnsio o amgylch yr haul,

I fyny ac i lawr, rownd a rownd.

Creodd Duw yr haul disglair

A'r planedau sy'n dawnsio.

Mae Duw wedi dy greu di,

Ac wedi fy nghreu innau.

Diolch i Dduw am y planedau sy'n symud,

I fyny ac i lawr, rownd a rownd. Hwrê!

Salm 19

Duw'n creu anifeiliaid

Creodd Duw fyd. Uwchben y byd roedd awyr gyda'r haul a'r lleuad, y sêr a'r planedau ynddi. Yn y byd roedd môr a thir, a phlanhigion o bob siâp a maint. Roedd Duw'n hapus gyda'r holl bethau a greodd.

Yn awr, roedd Duw am greu mwy o bethau.

Creodd Duw adar i hedfan yn rhydd yn yr awyr. Roedden nhw'n canu, "Twît, twît!" ac yn crawcian, "Crawc, Crawc!" ac yn twhwtian, "Twhŵ, twhŵ!"

Yna, creodd Duw bysgod i fyw yn y môr. Roedden nhw'n nofio, swish-swash. Ac yn neidio, sblish-sblash. Creodd Duw anifeiliaid i fyw ar y tir. Creodd wartheg, mw-mw. A chŵn, wff-wff. A llewod, raaa-raaa. A chrocodeilod, snip-snap. A nadroedd, sssss-ssss. A gwenyn, bysss-bysss. Anifeiliaid o bob siâp, maint a lliw.

Yna, creodd Duw bobl, fel ti a fi. Roedd Duw'n hapus iawn gyda phob dim roedd wedi'i greu.

"Mae hyn i gyd yn dda,"
meddai Duw.

Genesis 1:20–2:4

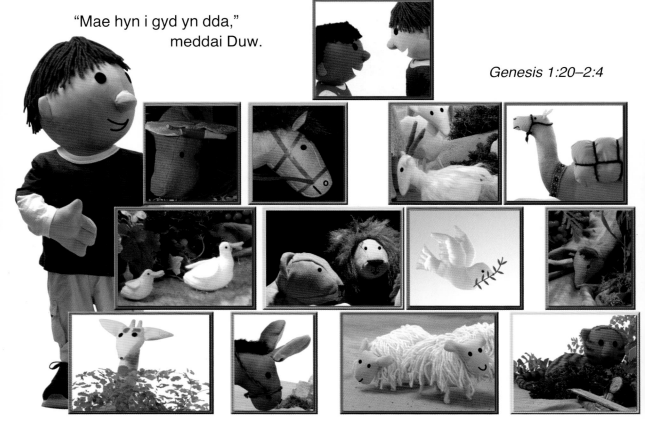

Mae Duw yn fy nabod

Pan ydw i'n sefyll ac yn
cerdded i fyny'r grisiau,

mae Duw'n gwybod ac yn gofalu.

Pan af allan
neu aros gartref,

mae Duw'n gwybod ac yn gofalu.

Pan af i chwarae
gyda'm ffrindiau,

mae Duw'n gwybod ac yn gofalu.

Os ydw i'n deffro i weld yr haul yn codi,

mae Duw'n gwybod ac yn gofalu.

Os ydw i ar fy nhraed yn hwyr,
a'r tywyllwch yn fy ngwneud yn ofnus,

mae Duw'n gwybod ac yn gofalu.

Cyn i mi gael fy ngeni,
roedd Duw'n gwybod fy mod i yno.

Wrth i mi dyfu,
mae Duw'n fy ngwylio o hyd.

mae Duw'n gwybod ac yn gofalu.

Ble bynnaf rydw i'n mynd,
beth bynnag rydw i'n ei wneud,

mae Duw'n gwybod ac yn gofalu.

Salm 139

Y bobl gyntaf

Pan greodd Duw y byd i ddechrau, doedd dim pobl yn byw yno. Roedd yna awyr, môr a thir. Roedd haul a lleuad a llawer o sêr disglair, ond dim pobl.

Yna, creodd Duw ddyn. Dyma'r dyn yn dechrau anadlu. Agorodd ei lygaid, ymestyn ei goesau a'i freichiau, a dechrau cerdded o gwmpas.

Creodd Duw ardd brydferth lle gallai'r dyn fyw.

Creodd Duw goed a phlanhigion, blodau a ffrwythau.

"Edrycha ar ôl fy myd, os gweli di'n dda," meddai Duw wrth y dyn.

Yna meddyliodd Duw, "Efallai bydd y dyn yn unig yn byw ar ei ben ei hun yn yr ardd." Felly, creodd Duw ddynes i helpu'r dyn ac i fod yn ffrind iddo. "Byddwch yn hapus yn byw yma," dywedodd Duw wrthyn nhw,   "a chofiwch edrych ar ôl fy myd."

Genesis 2:5–25

Yng ngardd Duw

Bore oedd hi, a'r haul yn disgleirio.

Roedd adar yn canu ym mrigau'r coed.

Deffrodd y dyn a'r ddynes yr oedd Duw wedi'u creu.

"Am ddiwrnod braf," meddai'r dyn. "Rydw i'n hapus iawn yn byw yng ngardd Duw," gwenodd y ddynes.

Chwythodd awel ysgafn. Roedd yr haul yn gynnes ar eu hwynebau. Tyfai blodau hardd ym mhob man o'u hamgylch – rhai coch, piws, melyn, glas, pinc a gwyn. Roedd carw'n ymlwybro i lawr i'r nant oedd yn llifo drwy'r ardd i yfed ychydig o ddŵr. Herciodd hwyaden heibio iddyn nhw, gyda'i chywion bach yn ei dilyn mewn rhes. "Dyna le hyfryd ydy hwn," meddai'r ddynes.

"Mae Duw yn glyfar iawn yn creu lle mor ddiddorol," gwenodd y dyn. "Onid ydi Duw yn dda efo ni? Rydw i'n meddwl y byddwn yn hapus iawn yn byw yma. Mae Duw yn ein caru'n fawr iawn. Byddwn yn edrych ar ôl gardd Duw ac yn gwneud yn siŵr ein bod yn ei chadw'n hardd. Yn union fel y mae Duw wedi gofyn i ni ei wneud."

Genesis 2

Gadael gardd Duw

Roedd Adda ac Efa'n byw yng ngardd Duw. Roedden nhw'n hapus iawn. Roedden nhw'n gallu mynd i unrhyw le yr hoffent a bwyta unrhyw beth. Oni bai am un peth! Roedd un math o ffrwyth roedd Duw wedi dweud wrthyn nhw am beidio â'i gyffwrdd na'i fwyta.

Ond roedd Efa eisiau blasu'r ffrwyth. Un diwrnod, tynnodd y ffrwyth oddi ar y goeden a'i flasu, er bod Duw wedi dweud wrthi am beidio. Roedd y ffrwyth yn flasus iawn. Dyma hi'n rhoi ychydig ohono i Adda i'w fwyta hefyd.

I ddechrau, roedd Adda hefyd yn meddwl ei fod yn flasus. Ond roedd Duw yn flin am fod Adda ac Efa wedi bwyta'r ffrwyth er iddo ddweud wrthyn nhw am beidio. "Mae'n rhaid i chi adael yr ardd," meddai Duw.

Bu'n rhaid i Adda ac Efa adael yr ardd hardd. A hynny am eu bod wedi gwneud rhywbeth roedd Duw wedi dweud wrthyn nhw am beidio â'i wneud!

Genesis 3

Noa'n adeiladu cwch

Dywedodd Duw wrth Noa, "Rydw i eisiau i ti adeiladu cwch."

Roedd Noa wrth ei fodd yn siarad â Duw.

Roedd yn gwneud popeth a ddywedai Duw wrtho, ond roedd wedi rhyfeddu. "Adeiladu cwch?" holodd Noa.

"Ie," meddai Duw. "Rydw i'n mynd i anfon llawer o law i ddisgyn ar y byd. Bydd pobman dan ddŵr. Bydd raid i ti a dy deulu fynd i mewn i'r cwch er mwyn bod yn saff."

Adeiladodd Noa gwch anferth o goed. Defnyddiodd lif a morthwyl a hoelion. Gwnaeth y cwch yn un hir iawn, yn uchel ac yn llydan. Adeiladodd do arno a llawer o ystafelloedd gwahanol y tu mewn – yn union fel y dywedodd Duw wrtho.

"Dos i mewn i'r cwch," meddai Duw, "a dos â dau o bob math o anifail gyda ti."

Chwiliodd Noa am ddau o bob anifail: rhai mawr a bach; rhai streipiog a sbotiog; rhai oedd yn gwneud synau o bob math; rhai lliwgar a rhai plaen. A phan oedd pawb yn saff y tu mewn i'r cwch, dyma Duw'n cau'r drws. Roedd Noa a'i deulu'n saff.

Genesis 6:9–22

Noa a'r dilyw mawr

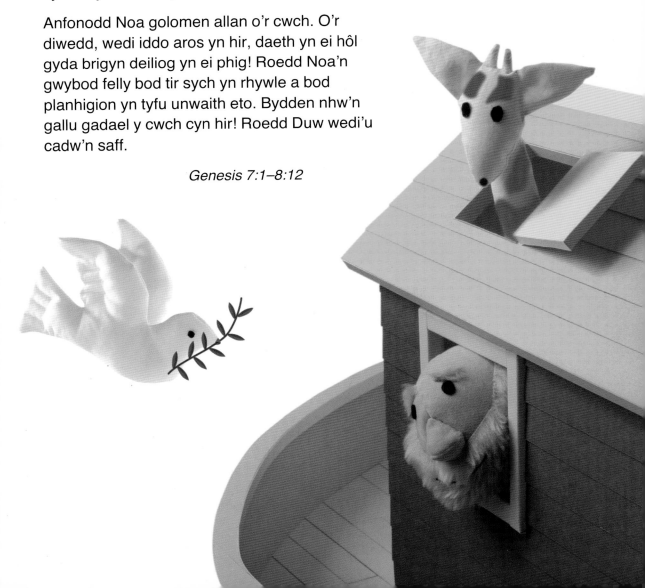

Pit-pat, sblish-sblash! Gwrandawodd Noa a'i deulu ar y glaw yn disgyn. Pit-pat, disgynnodd ar y cwch a adeiladodd Noa. Sblish-sblash, disgynnodd y dŵr o'u hamgylch. Roedd hi'n arllwys y glaw bob dydd a doedd dim tir sych i'w weld yn unman. Ond gwnaeth Duw yn siŵr bod pawb ar y cwch a'r holl anifeiliaid yn saff.

Yna, stopiodd y glaw. Roedd hi'n dawel, ac am ddyddiau, wythnosau a misoedd roedd Noa a'i deulu'n arnofio yn y cwch. Dim ond dŵr oedd i'w weld ym mhobman. Yna, dyma Duw'n gwneud i wynt chwythu'r dŵr yn sych. Cymerodd hyn fisoedd lawer.

Anfonodd Noa golomen allan o'r cwch. O'r diwedd, wedi iddo aros yn hir, daeth yn ei hôl gyda brigyn deiliog yn ei phig! Roedd Noa'n gwybod felly bod tir sych yn rhywle a bod planhigion yn tyfu unwaith eto. Bydden nhw'n gallu gadael y cwch cyn hir! Roedd Duw wedi'u cadw'n saff.

Genesis 7:1–8:12

Noa a'r enfys

Roedd Noa yn y cwch gyda'i deulu a'r holl anifeiliaid am amser hir. I ddechrau, roedd hi'n bwrw glaw bob dydd. Pan edrychodd Noa allan, gwelai fwy a mwy o ddŵr yn gorchuddio'r ddaear. Yn y diwedd, stopiodd y glaw, ond roedd yn rhaid iddyn nhw aros ar y cwch nes bod yr holl ddŵr o'u cwmpas wedi sychu.

Un diwrnod, o'r diwedd, roedd Noa yn gallu mynd oddi ar y cwch gyda'i deulu a'i holl anifeiliaid. Roedden nhw mor falch o fod ar dir sych unwaith eto!

Ond roedd Noa'n poeni. A fyddai hi'n bwrw glaw mor drwm eto? A fyddai llif mawr arall? Edrychodd i fyny i'r awyr. Meddyliodd tybed a fyddai'n llawn o gymylau duon yn dod â glaw eto'n fuan. Ond yna gwelodd rywbeth rhyfeddol! Enfys yn llenwi'r awyr!

"Wna i byth foddi'r ddaear fel yna eto," meddai Duw wrth Noa. "Pan weli di'r enfys yn yr awyr, cofia fy addewid i ti."

Genesis 8:13–9:17

Bywyd newydd i Abraham

Roedd Duw'n siarad ag Abraham.

"Rydw i eisiau i ti fynd i fyw mewn gwlad wahanol," meddai Duw. "Ble mae'r wlad honno?" holodd Abraham.

"Mi ddangosaf i ti," meddai Duw. "Pacia dy holl eiddo a bydd yn barod i adael."

"Bydd hi'n gyffrous byw mewn gwlad newydd, oni fydd?" meddai Abraham wrth ei wraig Sara. "Mae Duw wedi addo, un diwrnod, y bydd gennym ni deulu mawr. Bydd gennym blant ac wyrion. Byddwn i gyd yn byw mewn gwlad newydd y mae Duw wedi'i dewis i ni."

Roedd Abraham a Sara eisoes yn hen. Doedd ganddyn nhw ddim plant, ond roedd Abraham yn gwybod pan fyddai Duw yn addo rhywbeth, y byddai'n siŵr o ddigwydd.

Roedden nhw'n drist wrth ffarwelio gyda'u ffrindiau, ond roedden nhw'n gwybod y gallen nhw ymddiried yn Nuw.

Gadawodd Abraham a Sara eu cartref a chychwyn ar eu taith am y bywyd newydd roedd Duw wedi'i gynllunio iddyn nhw.

Genesis 12:1–9

Lle newydd i Abraham fyw

Cychwynnodd Abraham a Sara ar eu taith hir. Roedd Abraham yn ddyn cyfoethog iawn a llawer o aur ac arian ganddo. Roedd ganddo lawer o wartheg, defaid a geifr hefyd. Roedd cymaint o bethau iddyn nhw fynd gyda nhw i'r wlad newydd.

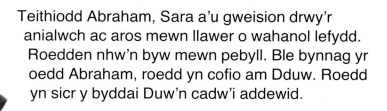

Teithiodd Abraham, Sara a'u gweision drwy'r anialwch ac aros mewn llawer o wahanol lefydd. Roedden nhw'n byw mewn pebyll. Ble bynnag yr oedd Abraham, roedd yn cofio am Dduw. Roedd yn sicr y byddai Duw'n cadw'i addewid.

Un diwrnod, dywedodd Duw wrth Abraham, "Edrych o dy gwmpas. Mi roddaf yr holl dir y gweli di i ti. Un diwrnod, bydd gennyt deulu mawr – mor fawr fel na fyddi'n gallu cyfri pob un ohonyn nhw. Ti a dy deulu fydd yn berchen y tir yma am byth."

Daeth Abraham o hyd i lecyn braf ger ychydig o goed a gosod y pebyll yno.

"Diolch, Dduw, am gadw dy addewid," meddai. "Diolch am roi lle newydd i ni fyw ynddo."

Genesis 13

Teulu newydd i Abraham

Un diwrnod poeth, roedd Abraham yn eistedd y tu allan i'w babell.

Gwelodd dri dyn yn sefyll yn ymyl.

Aeth Abraham i siarad â nhw. "Mi af i nôl ychydig o ddŵr i chi er mwyn i chi gael golchi eich traed llychlyd," meddai. "Gallwch orffwys o dan y coed tra bydda i'n paratoi ychydig o fwyd."

"Diolch yn fawr," meddai'r dynion. "Bydd hynny'n dda."

"Brysia!" meddai Abraham wrth Sara. "Poba ychydig o fara ffres. Mae gennym ymwelwyr."

Aeth ei weision ati i rostio darn o gig, a gosod iogwrt mewn powlenni.

Tra oedden nhw'n bwyta'r bwyd, holodd y dynion, "Ble mae eich gwraig, Sara?"

"Mae hi yn y babell," meddai Abraham.

"Rydym wedi dod â newyddion arbennig i chi," meddai un o'r dynion. "Y flwyddyn nesaf, bydd Sara'n cael babi."

Chwarddodd Sara. "Rwy'n rhy hen i gael babi!" meddai.

Ond cadwodd Duw ei addewid a chafodd Abraham a Sara fachgen bach. Penderfynon nhw ei alw'n Isaac.

Genesis 18:1–15; 21:1–8

Isaac a Rebeca

Tyfodd Isaac i fyny ac roedd yn ddigon hen i briodi. Anfonodd Abraham ei was i chwilio am ferch i briodi Isaac. Aeth y gwas ag anrhegion gydag ef – camelod, aur a thlysau – ond sut y byddai'n dod o hyd i'r ferch iawn i briodi Isaac? Teithiodd yn bell iawn, ar draws anialwch poeth. Roedd yn teimlo'n sychedig. "Plîs, o Dduw," gweddïodd. "Anfon rhywun â diod o ddŵr i mi. Gad iddi fod y ferch a fydd yn priodi Isaac."

Daeth Rebeca o rywle. Gwelodd hi'r gwas. "Mi af i i nôl diod o ddŵr i ti," meddai.

Roedd y gwas yn gwybod bod Duw wedi ateb ei weddi. Rebeca oedd y ferch orau i briodi Isaac!

Y diwrnod wedyn, cychwynnodd Rebeca a'r gwas ar eu taith am adref. Unwaith y gwelodd Isaac Rebeca, syrthiodd mewn cariad â hi ac fe briodon nhw. Roedd Duw wedi rhoi gwraig i Isaac.

Genesis 24:1–67

Jacob ac Esau

 Roedd Isaac a Rebeca eisiau plentyn. "Plîs, o Dduw, rho blentyn i ni," gweddïodd y ddau. Rai misoedd wedi hynny cafodd Rebeca, nid un, ond dau fachgen bach! Esau gafodd ei eni gyntaf. Roedd ganddo lawer o wallt coch. Yna, ganwyd Jacob. Roedd ganddo groen llyfn.

Wrth i'r bechgyn dyfu i fyny, roedden nhw'n hoffi gwneud pethau gwahanol. Roedd Esau'n fawr ac yn gryf. Hoffai fod allan yn yr awyr agored a mynd i hela. Roedd Isaac yn hoff iawn o Esau. Roedd Jacob yn dawelach. Hoffai aros gartref a helpu gyda'r coginio. Jacob roedd Rebeca'n ei hoffi orau.

Un diwrnod, dyma Jacob yn esgus mai Esau oedd e. Aeth i weld eu tad, Isaac. "Esau sydd yma," meddai. "Gweddïwch ar Dduw i mi, os gwelwch yn dda." Roedd Isaac yn meddwl mai Esau oedd yno. Felly gofynnodd i Dduw helpu Jacob am byth, i roi popeth y byddai ei angen arno a'i wneud yn gyfoethog. Pan sylweddolodd Esau, roedd yn flin iawn fod Jacob wedi'i dwyllo.

Genesis 25:19–34; 27:1–45

Duw'n siarad â Jacob

 Un diwrnod dyma Jacob ac Esau'n cweryla. Roedd Esau'n flin iawn gyda Jacob am ei frifo. "Jacob," meddai eu mam, "rhaid i ti fynd i ffwrdd fel na all Esau ddod o hyd i ti."

Felly, ffarweliodd Jacob ac aeth i ffwrdd. Cerddodd drwy'r dydd. Roedd yn unig ac yn ofnus. Daeth yn nos a bu'n rhaid i Jacob gysgu ar y llawr. Doedd ganddo ddim gobennydd, felly gosododd garreg o dan ei ben.

Cafodd Jacob freuddwyd. Yn ei freuddwyd, dywedodd Duw, "Jacob, byddaf gyda ti bob amser. Mi ofalaf amdanat. Un diwrnod, fe af â ti adref."

Roedd Jacob yn hapus pan ddeffrodd. Roedd yn gwybod bod Duw'n gofalu amdano.

Genesis 28:10–22

Jacob yn mynd yn ôl adref

Arhosodd Jacob yn nhŷ ei Ewythr Laban. Roedd yn gweithio ar fferm ei Ewythr Laban. Priododd Jacob ferch o'r enw Lea. Yna, priododd ferch arall o'r enw Rachel. Roedd ganddyn nhw lawer o blant. Teimlai Jacob yn hapus iawn. Roedd yn gweithio'n galed a chyn bo hir roedd ganddo lawer o ddefaid a geifr a chamelod.

Bu Jacob yn byw gyda'i Ewythr Laban am amser maith. Yna, roedd Jacob eisiau mynd yn ôl adref. Casglodd yr holl eifr a'r defaid at ei gilydd. Bu Lea

a Rachel yn brysur yn paratoi'r plant ac yn gosod eu holl eiddo ar gefnau'r camelod. Yna, dyma nhw'n cychwyn ar eu taith.

Doedd Jacob ddim yn gwybod a fyddai ei frawd Esau am fod yn ffrindiau unwaith eto. Felly anfonodd anrheg at Esau, sef llawer o anifeiliaid, i ddweud sori. Taflodd Esau ei freichiau o gwmpas Jacob. Roedden nhw'n ffrindiau unwaith eto!

Genesis 29:1–35; 32:1–33:20

Joseff a'i frodyr

"Edrychwch ar fy nghôt newydd i," meddai Joseff wrth ei frodyr.

"Dyma'r gôt harddaf a welodd neb erioed!"

"Pwy roddodd honna i ti?" holodd pawb.

"Anrheg arbennig gan Dad yw hi," atebodd Joseff. "Cefais hi am ei fod yn fy ngharu gymaint. Edrychwch pa mor arbennig yw hi."

Roedd ei frodyr yn drist. "Pam nad yw Dad yn rhoi anrhegion arbennig i ninnau hefyd?" medden nhw.

Roedd ei frodyr yn flin. "Pam mai ti sy'n cael y pethau gorau o hyd?" dyma nhw'n sibrwd.

"Am mai fi yw'r gorau," meddai Joseff. "Rhyw ddiwrnod, byddaf yn berson pwysig iawn."

Roedd brodyr Joseff yn meddwl ei fod yn dangos ei hun. Doedden nhw ddim yn ei hoffi o gwbl.

Ond roedd Duw'n gofalu am Joseff. Roedd yn gwybod y byddai gan Joseff waith pwysig iawn i'w wneud rhyw ddiwrnod, mewn gwlad arall.

Mae Duw'n gwybod popeth amdanom ni hefyd. Bydd yn gofalu amdanom am byth.

Genesis 37:1–11

Joseff yn mynd i'r Aifft

Un diwrnod, dywedodd tad Joseff wrtho, "Dos i chwilio am dy frodyr, os gweli di'n dda. Maen nhw'n gofalu am fy nefaid." Felly, dyma Joseff yn mynd.

Gwelodd y brodyr Joseff yn dod tuag atyn nhw. Wrth gwrs, roedd yn gwisgo'i gôt arbennig. "Beth am gael gwared ohono?" meddai ei frodyr.

"Iawn, ond peidiwch â'i frifo," meddai Reuben, brawd hynaf Joseff.

Dyma nhw'n rhwygo'r gôt hardd yn ddarnau, taflu Joseff i dwll dwfn, ac yna eistedd i lawr i fwyta'u cinio.

Daeth rhyw bobl heibio. Roedd ganddyn nhw gamelod wedi'i llwytho â phethau i'w gwerthu yn yr Aifft. Cafodd y brodyr syniad. Gallai Joseff fynd gyda'r dynion.

Pan gyrhaeddon nhw adref, dyma'u tad yn holi, "Ble mae Joseff?"

Dangosodd y brodyr gôt Joseff iddo. Roedd hi'n fudr ac wedi'i rhwygo. "Mae'n ddrwg gennym," dyma nhw'n dweud yn gelwyddog. "Mae Joseff wedi marw. Mae e wedi cael damwain."

Ond, yn yr Aifft, cadwodd Duw Joseff yn saff – hyd yn oed pan oedd llawer o bethau'n mynd o chwith.

Mae Duw'n gofalu amdanom ninnau hefyd.

Genesis 37:12–36

Gwaith pwysig Joseff

Cafodd brenin yr Aifft ddwy freuddwyd ryfedd.

"Mae Joseff yn gwybod popeth am freuddwydion," meddai rhywun wrtho.

Felly, dyma'r brenin yn anfon am Joseff. "Plîs, dwed wrtha i beth yw ystyr fy mreuddwydion," meddai.

"Eich Mawrhydi, am saith mlynedd, bydd llawer o ŷd da iawn yn tyfu," meddai Joseff wrtho. "Yna, ni fydd unrhyw ŷd yn tyfu am y saith mlynedd nesaf."

"Beth wnawn ni?" holodd y brenin. "Mae'n rhaid i ni gael bwyd i'w fwyta."

"Pam na wnawn ni storio'r ŷd ychwanegol mewn ysguboriau erbyn yr adeg y byddwn ei angen?" meddai Joseff.

"Dyna syniad da," meddai'r brenin. "Rwyt ti'n ddyn clyfar, Joseff. Rydw i eisiau i ti wneud gwaith pwysig iawn i mi."

Dywedodd y brenin wrth Joseff am wneud yn siŵr y byddai digon o fwyd i bawb i'w fwyta.

Gofalodd Duw am Joseff a'i helpu i wneud ei waith yn dda. Mae Duw'n gofalu amdanom ninnau hefyd.

Genesis 41

Joseff yn helpu ei deulu

Roedd brodyr Joseff yn llwglyd iawn. Roedd eu boliau gwag yn gwneud sŵn mawr. Doedd dim ŷd ar ôl ganddyn nhw i wneud bara. Yna, cafodd eu tad syniad.

"Dyma ychydig o arian," meddai. "Clywais eich bod yn gallu prynu ŷd yn yr Aifft o hyd."

Aeth y brodyr i weld y dyn pwysig oedd yn gofalu am yr ysguboriau. "Plîs gwerthwch ychydig o'ch ŷd i ni," medden nhw. "Rydyn ni i gyd bron â llwgu."

Roedd yn syndod mawr iddyn nhw pan gawson nhw wahoddiad gan y dyn i fynd am bryd o fwyd arbennig yn ei dŷ.

"Ydych chi'n fy nghofio i?" holodd y dyn. "Eich brawd, Joseff, ydw i. Sut mae Dad?" Roedd y brodyr yn poeni am iddyn nhw fod mor gas wrth Joseff. Ond roedd Joseff yn falch iawn o weld ei deulu unwaith eto.

"Mae popeth yn iawn," dywedodd wrthyn nhw. "Rwy'n siŵr bod Duw wedi trefnu i hyn ddigwydd er mwyn i mi ofalu amdanoch i gyd. Dewch i fyw yn yr Aifft gyda mi. Mae digonedd o fwyd i'w gael yma."

A dyna wnaethon nhw. Roedd Duw wedi helpu Joseff i helpu ei deulu.

Genesis 42:1–13; 45:1–13

Croesi'r Môr Coch

"Moses, beth wnawn ni nawr?" holodd y bobl, teulu Duw. "Rydyn ni wedi dod allan o'r Aifft ond nawr rydyn ni'n sownd. Mae'r môr yn rhy lydan a dwfn a does dim modd i ni fynd yn ôl."

Roedd milwyr yr Aifft yn eu dilyn ac roedd pawb yn ofnus. "Bydd Duw'n ein cadw'n saff," meddai Moses. "Cewch weld."

Dywedodd Duw wrth Moses am sefyll ger y môr a dal ei law allan. Dechreuodd gwynt cryf chwythu! Dyma'r môr yn agor allan i adael llwybr sych er mwyn i'r bobl groesi. Dechreuodd pawb gerdded, gan groesi dros y llwybr sych, ond yn dal yn ofnus am fod y milwyr yn eu dilyn. Roedden nhw'n brysio, ond gan fod cymaint o bobl, roedd hi'n cymryd tipyn o amser i groesi i'r ochr arall.

Dywedodd Duw wrth Moses, "Byddaf yn cadw pawb yn saff. Dal dy fraich allan dros y môr unwaith eto." Wrth i Moses ddal ei fraich allan, dyma'r môr yn symud i orchuddio'r llwybr fel nad oedd yr Eifftiaid yn gallu eu dilyn.

Dechreuodd pobl Dduw ganu a dawnsio i'w foli. Roedd Duw wedi'u cadw'n saff.

Exodus 14:1–29

Byw yn yr anialwch

Roedd pobl Israel yn teithio ar draws anialwch poeth, llychlyd i gartref newydd roedd Duw wedi'i addo iddyn nhw. "Rydyn ni'n llwgu," cwynodd pawb wrth Moses. "Mae ein stumogau yn gwneud sŵn mawr. Os na chawn ni fwyd yn fuan, byddwn i gyd yn marw. Roedd digon i'w fwyta yn yr Aifft bob amser."

"Mae'r bobl yn anhapus," meddai Moses wrth Dduw.

"Gwnaf yn siŵr fod digon ganddyn nhw i'w fwyta," addawodd Duw. "Bob bore, byddan nhw'n gweld bwyd ar lawr. Dwed wrth bawb am ei gasglu a'i fwyta. Gyda'r nos, byddaf yn anfon adar y gallant eu coginio i swper."

"Bydd Duw'n darparu popeth y byddwn ei angen," dywedodd Moses wrth y bobl.

Yn y boreau, roedd y llawr wedi'i orchuddio â manna gwyn. Roedden nhw'n blasu fel bisgedi mêl.

"Mmm, blasus," meddai pawb.

Gyda'r nos, anfonodd Duw gig ar gyfer swper. Roedd hwnnw'n dda hefyd. Roedd Duw'n darparu digon o fwyd a diod bob amser.

Exodus 16; 17:1–7

Rheolau Duw

Roedd rhywbeth arbennig yn digwydd! Roedd mellt a tharanau a sŵn trwmpedi i'w clywed. Roedd mwg yn gorchuddio'r mynyddoedd uchel. Safai pobl Israel wrth waelod y mynydd yn teimlo'n ofnus iawn. Roedd y tir yn ysgwyd o dan eu traed.

"Moses, rydw i eisiau siarad â ti," meddai Duw. Felly, dyma Moses yn dringo i fyny'r mynydd.

"Mae hyn yn bwysig," meddai Duw wrtho. "Dyma'r rheolau rydw i eisiau i bawb eu dilyn:

"Cofiwch bob amser fy mod i'n arbennig iawn. Fi yw'r unig Dduw. Addolwch fi, a dim byd arall nac unrhyw un arall. Cofiwch fod un diwrnod yr wythnos yn ddiwrnod arbennig. Defnyddiwch e i gael seibiant ac i feddwl amdana i. Carwch eich rhieni. Peidiwch â brifo pobl, na dweud celwyddau, na dwyn dim byd. Rydw i eisiau i chi fy ngharu bob amser a bod yn garedig wrth eraill. Peidiwch byth ag anghofio'r rheolau hyn. Maen nhw'n bwysig."

Exodus 19:16–20:17

Moses yn cyfarfod Duw

Roedd bod yn arweinydd pobl Israel yn waith pwysig. Ar adegau, roedd Moses eisiau gofyn i Dduw beth ddylai ei wneud.

Roedd pawb yn gwybod pan oedd Moses yn siarad â Duw. Byddai'n mynd i mewn i'w babell arbennig bob tro a byddai cwmwl trwchus yn gorchuddio'r drws. Yna, byddai Duw'n siarad â'i ffrind arbennig, Moses.

"Byddaf i gyda ti bob amser," addawodd Duw, "ble bynnag yr ei di."

Un diwrnod, holodd Moses iddo, "Plîs gaf i weld sut un wyt ti?"

"Iawn, cei di fy ngweld i, ond nid fy wyneb," meddai Duw wrtho. "Tyrd i'm cyfarfod i ar gopa'r mynydd mawr bore fory." Yna, daeth Duw a sefyll wrth ymyl Moses. "Fi ydy Duw," meddai. "Galli di ymddiried ynof i bob amser."

Teimlai Moses mor hapus ei fod wedi cyfarfod Duw. Roedd yn hyfryd.

"Rwyt ti mor fawr ac arbennig," meddai Moses. "Plîs, addo i ni y byddi'n aros gyda ni ble bynnag yr awn ni."

Exodus 33:7–23; 34:1–9, 29–35

Josua'n arwain pobl Dduw

Roedd Josua'n siarad â Duw.

"Be wnawn ni nawr fod Moses wedi marw?" holodd. "Does dim arweinydd erbyn hyn."

Dywedodd Duw wrth Josua, "Ti fydd yr arweinydd."

Roedd Josua'n ofnus. "Fi?" holodd.

"Ie, ti fydd yr arweinydd," atebodd Duw. "Paid â bod ofn a phaid â rhoi i fyny. Byddi di'n arwain y bobl i'w gwlad newydd. Byddan nhw'n ymgartrefu, yn adeiladu tai ac yn hapus yno."

"Wyt ti'n siŵr mai fi fydd e?" holodd Josua.

"Ie, ti fydd yr arweinydd," atebodd Duw. "Rydw i wedi addo gwlad newydd i fy mhobl a ti fydd yn mynd â nhw yno. Bydd yn gryf a dewr."

"Wyt ti'n siŵr dy fod ti fy eisiau i?" holodd Josua.

"Ydw, ti fydd yr arweinydd," atebodd Duw. "Byddaf gyda ti bob amser. Byddaf yno i dy helpu di."

Meddyliodd Josua am y peth. "Does dim angen i mi boeni os ydy Duw gyda mi," meddai wrtho'i hun.

Josua 1:1–9

Croesi'r afon

Dywedodd Josua wrth y bobl, "Rydyn ni'n mynd i'r wlad newydd mae Duw wedi'i haddo i ni. Pan fyddwch chi'n gweld yr offeiriaid yn cario blwch arbennig Duw, bydd yn amser i ni fynd."

"Sut awn ni ar draws yr afon?" holodd y bobl. "Mae mor ddwfn a llydan!"

"Bydd ein Duw, y Duw a greodd yr holl fyd, yn ein helpu," meddai Josua. "Pan fydd yr offeiriaid yn camu i'r dŵr, bydd yr afon yn peidio â llifo a byddwn i gyd yn gallu croesi'n saff."

49

Dyma pawb yn paratoi i deithio ac yn sefyll i wylio beth fyddai'n digwydd. A fyddai Duw'n gallu eu helpu i groesi'r afon ddofn a llydan?

Gwelodd pawb yr offeiriaid yn codi blwch arbennig Duw. Dechreuodd y bobl ddilyn. Camodd yr offeiriaid i'r afon. Dyma'r dŵr yn stopio llifo! Felly, llwyddodd pawb – oedolion, plant ac anifeiliaid – i groesi'r afon yn saff. Roedd Duw wedi'u helpu!

Josua 3:1–4:9

Waliau Jericho

Roedd Jericho'n ddinas fawr gyda waliau cadarn o'i chwmpas. "Chawn ni byth fynd i mewn i'n gwlad newydd," meddyliodd y bobl. "Mae Jericho'n sefyll yn ein ffordd."

Ond dywedodd Duw wrth Josua, "Gallaf wneud i waliau cadarn Jericho ddisgyn i'r llawr. Rydw i'n ddigon pwerus i wneud unrhyw beth." Dywedodd Josua wrth saith offeiriad am gario blwch arbennig Duw a chwythu trwmpedi hefyd. Dyma filwyr yn arwain yr offeiriaid o gwmpas waliau cadarn Jericho. A dilynodd milwyr eraill nhw.

Felly, buon nhw'n cerdded o gwmpas waliau cadarn Jericho bob dydd am chwe diwrnod.

Ar y seithfed diwrnod, buon nhw'n cerdded o gwmpas y waliau saith gwaith tra oedd yr offeiriaid yn chwythu eu trwmpedi. Dywedodd Josua, "Mae waliau Jericho'n gryf, ond mae Duw'n bwerus. Chwythwch y trwmpedi! Gwaeddwch mor uchel ag y gallwch!" Chwythwyd y trwmpedi! Gwaeddodd y milwyr! Disgynnodd waliau cadarn Jericho i'r llawr! Roedd Duw yn ddigon pwerus i wneud i waliau cadarn Jericho ddisgyn i'r llawr!

Josua 6:1–20

Duw'n dewis Gideon

Chwip, chwip, chwip! Roedd Gideon yn dyrnu grawn ŷd. Roedd yn teimlo'n anhapus. "Fi dyfodd yr ŷd yma," meddai. "Dwi eisiau gwneud bara ohono. Ond os daw milwyr Midian o hyd i mi, byddan nhw'n mynd ag e. A fydd gen i ddim bara." Gobeithiai Gideon y byddai arwr mawr, cryf yn gyrru milwyr Midian i ffwrdd.

Edrychodd Gideon i fyny. Roedd angel yn eistedd yno, yn edrych arno! "Helô, Arwr Dewr a Chryf," meddai'r angel. "Mae Duw wedi dy ddewis di."

Roedd Gideon wedi rhyfeddu. "Dim fi! Dydw i ddim yn gryf nac yn ddewr," meddai.

Dywedodd yr angel wrtho, "Mae Duw wedi dy ddewis di i yrru'r Midianiaid i ffwrdd."

Ysgydwodd Gideon ei ben. "Ond rydw i'n wan iawn. Mae fy nheulu cyfan yn wan. A fi ydy'r gwannaf ohonyn nhw i gyd."

Dywedodd yr angel, "Gelli yrru'r Midianiaid i ffwrdd gyda help Duw." Dyma Gideon yn dechrau deall. Byddai'n dysgu bod yn gryf ac yn ddewr. Roedd Duw wedi'i ddewis.

Barnwyr 6:11–16, 33–40

Gideon yn gwrando ar Dduw

"Mae fy myddin i yn fawr iawn," meddyliodd Gideon. "Gallwn yrru'r Midianiaid i ffwrdd yn hawdd."

Dywedodd Duw, "Mae dy fyddin yn rhy fawr, Gideon. Byddan nhw'n ennill yn hawdd. Byddan nhw'n anghofio fy mod i wedi'u helpu nhw." Gwrandawodd Gideon ar Dduw. Anfonodd rai o'i filwyr adref. Dywedodd Duw, "Mae'r fyddin yn dal yn rhy fawr. Anfona ragor ohonyn nhw adref."

Gwrandawodd Gideon ar Dduw. Anfonodd ragor adref. "Nawr," meddyliodd Gideon, "mae fy myddin yn fach."

"Mae'r fyddin y maint cywir," meddai Duw wrtho. "Nawr mi wna i eich helpu i yrru'r Midianiaid i ffwrdd."

Aeth byddin Gideon allan gyda'r nos. Roedd gan bob milwr drwmped a ffagl wedi'i chuddio mewn piser o glai. Dyma nhw'n cropian o amgylch byddin y Midianiaid. Chwythodd Gideon ei drwmped! Chwalodd pawb eu piseri clai. Llosgodd y ffaglau â golau disglair. Roedd y Midianiaid yn ofnus. Dyma nhw'n rhedeg i ffwrdd! Roedd Duw wedi helpu Gideon, ac roedd Gideon wedi dysgu sut i wrando ar Dduw.

Barnwyr 7:1–22

Debora

Roedd Debora'n un o arweinwyr pobl Dduw. Un diwrnod, dyma Duw'n rhoi neges i Debora ar gyfer dyn o'r enw Barac. Roedd Barac yn gyfrifol am y fyddin.

"Barac," meddai Debora. "Mae gelynion yn dod i'n brifo. Bydd raid i ni ymladd yn eu herbyn. Ond bydd Duw yn ein helpu. Ni fydd yn ennill."

"Dydw i ddim eisiau mynd hebdda ti," meddai Barac. "Wnei di ddod hefyd?"

"Iawn," meddai Debora.

Felly, dyma Debora'n arwain y fyddin. Yn fuan, dyma nhw'n cyfarfod â'r gelyn. Ond pan welodd eu gelynion bobl Dduw, gyda Debora yn eu harwain, doedden nhw ddim yn gwybod beth i'w wneud! Roedden nhw'n baglu dros ei gilydd ac yn marchogaeth eu ceffylau heb drefn o gwbl. Ac yna, dyma nhw i gyd yn rhedeg i ffwrdd!

Felly, Debora a phobl Dduw enillodd. Diolch i Dduw.

Barnwyr 4:1–10, 23–24

Naomi a Ruth

Hen wraig oedd Naomi. Roedd ei gŵr a'i dau fab wedi marw pan oedd y teulu'n byw mewn gwlad arall. Nawr, roedd Naomi eisiau mynd yn ôl i Fethlehem.

Roedd ei meibion wedi priodi merched o'r enw Orpa a Ruth. Dyma'r ddwy yn dechrau ar y daith gyda Naomi. Roedden nhw'n caru Naomi'n fawr iawn ac am ofalu amdani. "Na," meddai Naomi, "dydy hyn ddim yn deg. Ddylech chi ddim fod yn gofalu amdana i. Rydwi'n hen wraig nawr. Dylech fynd yn ôl i Moab lle mae eich teuluoedd eich hunain yn byw. Rydych chi'ch dwy'n ifanc o hyd. Efallai y bydd Duw yn rhoi gŵr newydd bob un i chi, a phlant."

Dechreuodd Orpa a Ruth grio. Roedden nhw'n caru Naomi'n fawr iawn. Doedden nhw ddim eisiau ei gadael hi. Penderfynodd Orpa fynd yn ôl adref i Moab, ond dywedodd Ruth wrth Naomi, "Dwi eisiau byw ble bynnag fyddi di'n byw. Dwi eisiau addoli dy Dduw di. Fydda i byth yn dy adael di."

Ruth 1

Ruth a Boas

Bob dydd, byddai Ruth yn mynd i gasglu gweddillion y grawn ŷd o gae rhyw ffermwr lleol. Yna, byddai'n mynd â'r ŷd adref a'i droi'n flawd i wneud bara iddi hi a Naomi fwyta.

Roedd Boas, y ffermwr, yn ddyn pwysig a chyfoethog. Gwelodd Ruth yn gweithio'n galed. "Pwy yw'r wraig sy'n casglu'r ŷd yn fy nghae?" holodd Boas i'w weithwyr.

"Mae hi'n byw gyda Naomi," medden nhw. Roedd y ffermwr yn 'nabod Naomi gan ei bod hi'n rhan o'i deulu. Dyn caredig iawn oedd Boas.

"Gofalwch am Ruth a chadw ŷd ychwanegol iddi," meddai wrth ei ddynion. "A gadewch iddi yfed jariau dŵr pan fydd hi'n sychedig."

Roedd Boas yn hoffi Ruth gymaint, dyma nhw'n priodi. Pan gawson nhw fachgen bach, roedd Naomi wrth ei bodd gyda'i hŵyr bach newydd. Roedd hi'n gwybod bod Duw wedi gofalu amdani hi a Ruth mewn ffordd hyfryd.

Ruth 2–4

Geni Samuel

Geni Samuel

Roedd Hanna'n caru plant yn fawr.

Roedd hi'n gobeithio y byddai'n cael baban ei hun rhyw ddiwrnod.

Un bore, ar ôl brecwast, aeth Hanna i mewn i'r Deml a dechrau gweddïo ar Dduw. Roedd hi'n gwybod, pe bai hi'n siarad â Duw am unrhyw beth, y byddai Duw yn gwrando arni. Ond doedd Hanna ddim eisiau i neb arall glywed yr hyn oedd hi'n ei ddweud, felly dyma hi'n gweddïo'n dawel. Roedd Hanna'n crio o hyd am ei bod hi'n drist iawn.

"Plîs, o Dduw," dyma hi'n sibrwd, "wnei di fy helpu i?"

Roedd Eli, yr offeiriad, yn gwylio Hanna. "Be sy'n bod?" holodd. Gwrandawodd Eli wrth i Hanna ddweud wrtho gymaint roedd hi eisiau ei baban ei hun.

"Rwy'n siŵr y bydd Duw yn ateb dy weddïau," gwenodd Eli.

"Diolch am fod yn garedig tuag ata i," meddai Hanna, ac aeth adref.

Y flwyddyn wedyn, cafodd Hanna a'i gŵr fachgen bach. Dyma nhw'n ei alw'n Samuel.

Yna, roedd Hanna'n gwybod bod Duw wedi gwrando arni.

1 Samuel 1:9–20

Samuel ac Eli

Pan oedd Samuel yn ddigon hen, aeth i helpu Eli yn y Deml. Un noson, pan oedd Samuel newydd fynd i gysgu, clywodd rywun yn galw'i enw.

Rhedodd yn sydyn i ystafell Eli.

"Dyma fi," meddai. "Be wyt ti eisiau?"

"Wnes i ddim galw arnat ti," atebodd Eli. "Dos yn ôl i gysgu."

Yna, clywodd Samuel y llais unwaith eto. Rhedodd i ystafell Eli.

"Dyma fi," meddai. "Be wyt ti eisiau?"

"Ond Samuel, wnes i ddim galw arnat ti," atebodd Eli. "Dos yn ôl i gysgu."

Yna, clywodd Samuel rywun yn galw ei enw unwaith eto. Rhedodd at Eli.

"Dyma fi," meddai. "Be wyt ti eisiau?"

Yna, sylweddolodd Eli mai Duw oedd yn galw enw Samuel.

"Dos yn ôl i dy wely," meddai wrth Samuel, "ac os glywi di'r llais eto, dwed, 'Ie, Dduw, rwy'n barod i wrando. Beth wyt ti am ddweud wrtha i?' A dyna wnaeth Samuel!

1 Samuel 3

Samuel yr arweinydd

Daeth Samuel yn arweinydd da ac roedd eisiau i bobl fyw yn debyg i Dduw. Roedd Samuel yn caru Duw ac yn siarad ag e am y pethau oedd yn ei boeni.

Un diwrnod, daeth arweinwyr eraill i weld Samuel. "Rwyt ti'n mynd yn hen erbyn hyn," medden nhw. "Rydyn ni eisiau brenin, fel sydd gan wledydd eraill."

Gweddïodd Samuel ar Dduw. "Beth wyt ti eisiau i mi ei wneud?" holodd.

"Gwna yr hyn maen nhw'n ei ofyn," atebodd Duw.

Dyma Samuel yn cyfarfod dyn o'r enw Saul. "Saul fydd y brenin," meddai Duw wrtho.

Anfonodd Samuel negeswyr i bob rhan o Israel i ddweud, "Dewch i weld pwy mae Duw wedi'i ddewis i fod yn frenin arnoch!"

Ond roedd Saul yn cuddio!

Daeth Samuel o hyd iddo a mynd ag e i fan lle y gallai pawb ei weld.

"Dyma Saul, eich brenin newydd," meddai Samuel.

Gwaeddodd pawb yn uchel, "Hir oes i'r brenin!"

1 Samuel 8:4–9; 9;15–17; 10:1, 17–27

Dafydd y bugail ifanc

Roedd Jesse a'i wyth o feibion yn byw ym Methlehem. Roedd Duw wedi anfon Samuel i ymweld â nhw. Mae ganddo waith pwysig i'w wneud. Roedd rhaid i Samuel ddewis un o'r meibion i fod yn frenin.

Daeth Jesse â saith o'i feibion i gyfarfod Samuel. Bob tro, dywedodd Duw wrth Samuel, "Na, nid hwn fydd y brenin newydd." Beth wnaiff Samuel nawr?

Dywedodd Jesse wrth Samuel fod ganddo un mab arall, Dafydd. Dafydd oedd y mab ieuengaf. Roedd e allan ar y bryniau yn gofalu am y defaid. Bugail oedd Dafydd.

Daeth Dafydd i gyfarfod Samuel. Dywedodd Duw, "Ie, hwn yw'r mab cywir. Un diwrnod, bydd hwn yn frenin." Dyma Samuel yn arllwys olew arbennig dros ben Dafydd i ddangos fod Dafydd yn un arbennig i Dduw.

Roedd Dafydd yn gwybod fod Duw yn ei garu ac wedi'i ddewis i wneud gwaith arbennig iawn.

1 Samuel 16:1–13

Dafydd mewn trwbwl

Roedd Dafydd mewn trwbwl. Roedd Saul, y brenin, eisiau ei frifo.

Roedd Saul yn flin am fod Dafydd yn filwr gwell nag e.

Dywedodd Jonathan wrth Dafydd y dylai guddio oddi wrth Saul. Helpodd Jonathan Dafydd i guddio mewn cae gerllaw.

Roedd Saul yn flin iawn pan ddaeth i wybod bod Dafydd ar goll. Rhedodd Jonathan at Dafydd i ddweud wrtho pa mor flin oedd y Brenin Saul. Roedd Dafydd yn gwybod y byddai'n rhaid iddo adael a mynd i rywle saff. Ond roedd yn rhaid i Jonathan aros yn y palas.

Roedd Dafydd a Jonathan yn drist iawn. Dyma nhw'n cofleidio'i gilydd ac yn crio. Fe wnaethon nhw addo bod yn ffrindiau am byth.

Diolchodd Dafydd i Dduw am ei gadw'n saff.

1 Samuel 20

Dafydd a'r Brenin Saul

Roedd yr ogof yn dywyll ac yn oer. Roedd Dafydd yn cuddio yng nghefn yr ogof. Roedd yn cuddio oddi wrth y Brenin Saul.

Roedd y Brenin Saul a'i fyddin yn chwilio am Dafydd. Roedden nhw'n sefyll y tu allan i'r ogof. Cerddodd y Brenin Saul i mewn i'r ogof. Roedd yr ogof yn dywyll ac yn oer. Roedd yr ogof mor dywyll, fel nad nad oedd y Brenin Saul yn gallu gweld Dafydd. Ond roedd Dafydd yn gallu gweld y Brenin Saul.

Dyma Dafydd yn cropian yn dawel i fyny at y Brenin Saul ac yn torri darn oddi ar ei wisg. Fe wnaeth Dafydd feddwl am frifo Saul, ond roedd yn gwybod na fyddai Duw eisiau hynny.

Cerddodd y Brenin Saul allan o'r ogof oer a thywyll. Rhedodd Dafydd ar ei ôl. "Brenin Saul," gwaeddodd. "Edrycha! Fi, Dafydd, sydd yma!"

Yn ara deg, dyma'r Brenin Saul yn troi i edrych. Roedd yn dal yn flin iawn gyda Dafydd. Wrth iddo droi, gwelodd fod Dafydd yn gafael mewn darn o'i wisg. Nawr, roedd y Brenin Saul yn gwybod bod Dafydd wedi bod yn garedig iawn tuag ato. Roedd yn gwybod hefyd fod Dafydd wedi gwneud yr hyn fyddai Duw am iddo'i wneud.

1 Samuel 24

Dafydd yn dathlu

Daeth Dafydd yn frenin, yn union fel y dywedodd Duw. Roedd yn byw yn ninas fawr Jerwsalem. Meddyliodd Dafydd am Dduw. "Yr hyn yr hoffwn i ei wneud," meddai, "yw cael gafael ar flwch arbennig Duw a dod ag ef yn ôl i Jerwsalem. Bydd hynny'n atgoffa pawb fod Duw gyda ni bob amser."

Felly, aeth y Brenin Dafydd â llawer o bobl gydag e i'w helpu i'r man lle roedd y blwch yn cael ei gadw'n saff. Roedd y blwch wedi'i orchuddio ag aur, ac ynddo roedd y rheolau roedd Duw wedi'u rhoi i'w bobl i'w helpu i fyw yn debyg iddo ef.

Cariodd y bobl y blwch yn ôl i Jerwsalem. Roedd pawb yn dawnsio a chanu a bloeddio yr holl ffordd. Roedd y Brenin Dafydd yn hapus hefyd. "Nawr, bydd pawb yn cofio fod Duw gyda ni," gwenodd. A dyma pawb yn dawnsio a chanu a bloeddio eto.

2 Samuel 5–6

Camgymeriad mawr Dafydd

Gwnaeth Dafydd rywbeth drwg iawn. Aeth â rhywbeth nad oedd yn eiddo iddo fe – a doedd e ddim yn edifar! Anfonodd Duw ddyn o'r enw Nathan i siarad â Dafydd.

Dywedodd Nathan, "Roedd gan un dyn lawer o ddefaid. Dim ond un oen bach oedd gan ddyn arall. Edrychodd y dyn cyntaf ar yr oen bach ac roedd am ei gadw, er bod ganddo lawer o ddefaid yn barod. A dyma fe'n ei ddwyn e! Nawr, doedd gan y dyn arall ddim defaid!"

Pan glywodd Dafydd y stori yma, roedd yn flin. "Dyw hynna ddim yn deg!" gwaeddodd.

Dywedodd Nathan, "Doedd yr hyn wnest di ddim yn deg chwaith! Fe gymeraist ti rywbeth oddi ar rywun arall."

Sylweddolodd Dafydd ei fod wedi gwneud rhywbeth drwg. Roedd yn ddrwg iawn ganddo. "Annwyl Dduw, mae'n ddrwg iawn gen i," dywedodd. "Plîs, maddau i mi."

Clywodd Duw weddi Dafydd. Roedd yn gwybod bod Dafydd yn edifarhau. A dyma Duw yn maddau i Dafydd.

2 Samuel 12

Solomon yn gofyn am ddoethineb

Doedd Solomon ddim wedi bod yn frenin yn hir iawn. Gwaith anodd oedd bod yn frenin.

Roedd pobl yn dod ato'n aml i ofyn cwestiynau iddo. "Beth ddylen ni ei wneud?" roedden nhw'n gofyn. "Sut wnawn ni hyn? Beth hoffech chi i ni ei wneud, eich Mawrhydi?"

Roedd Solomon eisiau bod yn frenin da, ond doedd e ddim yn gwybod sut. Felly dyma Solomon yn gweddïo.

Un noson, breuddwydiodd Solomon fod Duw yn siarad ag e. "Beth hoffet ti i mi ei roi i ti?" gofynnodd Duw.

Meddyliodd Solomon. Roedd brenhinoedd eraill yn gyfoethog iawn ac am fyw am amser hir iawn. Ond roedd Solomon eisiau rhywbeth mwy.

"Rydw i eisiau bod yn frenin doeth," dywedodd wrth Dduw. "Plîs, helpa fi i wneud y peth iawn bob amser."

Roedd Duw'n falch fod Solomon wedi gofyn hyn iddo. Dywedodd, "Mi wna i dy helpu di i wneud y pethau iawn. Mi wna i ti'n gyfoethog hefyd, a gwneud i ti fyw am amser hir iawn. Byddi di'n frenin da fel dy dad, Dafydd."

1 Brenhinoedd 3:1–15

Solomon yn adeiladu i Dduw

Roedd y Brenin Solomon eisiau adeiladu – nid tŷ bach neu siop, ond teml. Byddai'n adeilad mawr, hardd lle gallai pawb addoli Duw.

"Sut wna i ddechrau?" meddyliodd. "Bydd angen coed arna i."

Anfonodd Solomon lythyr at ei ffrind, y Brenin Hiram. Gofynnodd i Hiram ei helpu i adeiladu teml i Dduw. "Wnei di chwilio am bobl sy'n gallu torri coed, os gweli di'n dda?" ysgrifennodd. "Anfona nhw i'r goedwig i dorri coed i adeiladu'r Deml."

Roedd y Brenin Hiram yn falch o helpu. Cafodd y gwaith ei wneud ac anfonwyd y coed at y Brenin Solomon.

"Beth nesa?" meddyliodd Solomon. "Bydd angen cerrig arna i."

Daeth o hyd i lawer o ddynion cryf a'u hanfon i gloddio cerrig. Buon nhw'n brysur yn naddu a morthwylio i greu blociau cerrig i'w defnyddio fel briciau.

"Mae gen i goed a cherrig," meddyliodd Solomon. "Nawr, fe alla i adeiladu teml i Dduw."

1 Brenhinoedd 5:1–6:1

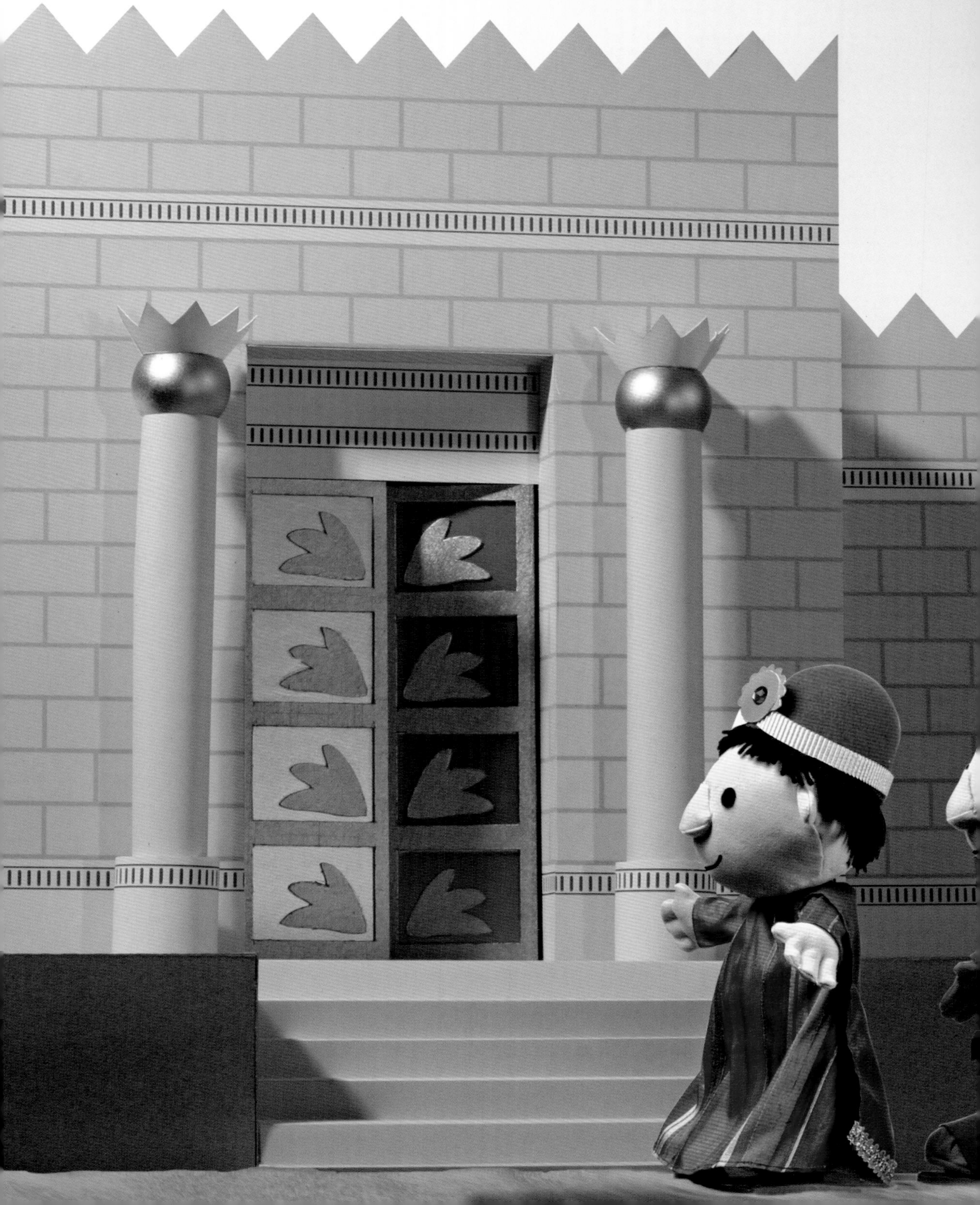

Solomon yn moli Duw

Roedd y Deml wedi'i hadeiladu. Roedd Solomon wedi defnyddio coed, cerrig, efydd ac aur i greu adeilad lle gallai pobl addoli Duw. Roedd yn adeilad hardd, disglair a mawr iawn!

Galwodd Solomon yr holl bobl at ei gilydd. Roedd yn ddiwrnod arbennig iawn. Dywedodd Solomon wrthyn nhw, "Heddiw, byddwn yn addoli yn y Deml newydd rydyn ni wedi'i hadeiladu i Dduw." Dyma nhw i gyd yn gweddïo ac yn canu i Dduw – a daeth cwmwl disglair i lenwi'r Deml!

Penliniodd y Brenin Solomon, gan godi'i ddwylo a gweddïo, "Arglwydd Dduw, adeiladais y Deml hon i ti. Nawr gallwn dy addoli di yma am byth."

Yna, safodd ar ei draed. "Clod i Dduw!" gwaeddodd yn hapus. "Mae wedi cadw ei addewid i ni a'n cadw ni'n saff. Bydded i Dduw beidio â'n gadael byth, a boed i ni wneud yr hyn y mae Duw am i ni ei wneud. Yna, bydd pobl y byd yn gwybod mai dim ond un gwir Dduw cariadus sydd. A gall pawb ddod yma i'w addoli – yn y Deml anhygoel hon a adeiladais!"

1 Brenhinoedd 8:1–13, 54–66

Duw'n bwydo Elias

 Roedd Elias yn un o ffrindiau Duw. Rhoddodd Duw negeseuon pwysig iddo i'w cyflwyno i bobl eraill. Un diwrnod, dywedodd Duw, "Elias, rydw i eisiau i ti fynd i weld y Brenin Ahab."

Roedd y Brenin Ahab yn berson drwg ac roedd Elias yn teimlo'n ofnus iawn. Roedd yn gwybod y byddai'r brenin yn flin iawn pan fyddai'n clywed neges Duw. "Y Brenin Ahab," meddai Elias. "Rydw i wedi dod i ddweud wrthyt na fydd rhagor o law nes y bydda i'n dweud. Fydd yna ddim gwlith, hyd yn oed, ar y gwair yn y boreau."

Dywedodd Duw wrth Elias am fan arbennig lle y gallai guddio oddi wrth y brenin. "Byddi di'n saff yno," meddai Duw. "Byddi'n gallu yfed dŵr o'r nant, a byddaf yn gwneud yn siŵr fod gen ti ddigon o fwyd."

Bob dydd, byddai adar mawr duon, cyfeillgar yn hedfan yn isel. Roedden nhw'n cario darnau o fara a chig i Elias yn eu pigau cryfion.

Darparodd Duw bopeth yr oedd Elias ei angen.

1 Brenhinoedd 17:1–7

Duw'n helpu teulu

Pan oedd y nant wedi sychu'n grimp, roedd Duw eisiau i Elias symud i'r dref. "Rydw i wedi gofyn i ddynes yno ofalu amdanat," meddai.

Daeth Elias ar draws y ddynes yn casglu brigau i wneud tân. "Plîs, ga i ychydig o ddŵr i'w yfed a darn o fara i'w fwyta?" gofynnodd Elias iddi.

"Mae'n ddrwg gen i," atebodd y ddynes, "ond dim ond dyrnaid o flawd ac ychydig o olew olewydd sydd gen i. Rydw i'n mynd i wneud tân a phobi torth i fy machgen bach a minnau, ac yna fydd dim ar ôl i'w fwyta."

Dywedodd Elias, "Rwy'n addo i chi y bydd popeth yn iawn. Ewch adref, gwnewch ychydig o fara a rhowch ddarn bychan ohono i mi. Mae Duw wedi addo y bydd digon o flawd ac olew gennych i wneud mwy o fara. Fydd Duw byth yn gadael i chi a'ch mab bychan lwgu." Ac fe wnaeth Duw yn siŵr fod ganddyn nhw ddigon i'w fwyta.

1 Brenhinoedd 17:8–16

Duw'n dangos ei bŵer

Doedd dim glaw wedi disgyn am dair blynedd. Doedd gan neb fwyd i'w fwyta.

Roedd hyd yn oed y brenin yn llwgu.

Dringodd Elias a'r Brenin Ahab i ben mynydd. "Beth am i ni gael cystadleuaeth i weld duw pwy yw'r duw mwyaf pwerus," meddai Elias wrth y brenin. "Byddwn yn gweddïo ac yn gofyn iddyn nhw gynnau tân. Dos di'n gyntaf."

Bu Ahab a'i ddilynwyr yn gweddïo ac yn dawnsio drwy'r bore, ond ni chyneuodd eu tân. "Gwaeddwch yn uwch!" chwarddodd Elias. "Efallai fod eich duw yn cysgu." Felly, dyma pawb yn gweiddi'n uwch, ond doedd dim byd yn digwydd.

Yna, dyma Elias yn tywallt dŵr dros y coed ar gyfer ei dân! Mae'n anodd llosgi coed gwlyb. Ond unwaith y dechreuodd Elias weddïo, dechreuodd y coed losgi'n llachar. Roedd pawb wedi'u synnu. "Mae dy Dduw di mor bwerus. Mae'n rhaid mai dy Dduw di yw'r gwir Dduw," gwaeddodd pawb ar Elias.

Wedi hynny, anfonodd Duw gawod o law unwaith eto.

1 Brenhinoedd 18

Duw'n siarad ag Elias

Roedd y Frenhines Jesebel yn flin. Roedd hi eisiau brifo Elias. Felly, dyma Elias yn rhedeg i ffwrdd ac yn cuddio mewn ogof ar fynydd. "Beth wyt ti'n ei wneud yn y fan yma?" holodd Duw.

"Rydw i'n anhapus," atebodd Elias. "Rydw i bob amser wedi gwneud fy ngorau i ufuddhau i ti, ond dyw rhai pobl ddim eisiau dy addoli di fel fi. Mae rhai ohonyn nhw eisiau fy mrifo i, hyd yn oed."

"Dos allan o'r ogof," meddai Duw wrth Elias. "Sefa ar y mynydd. Rydw i eisiau i ti weld fy mod i yma gyda ti." Arhosodd Elias. Yn sydyn, roedd yna wynt cryf. Dechreuodd y creigiau symud. Ond doedd Elias ddim yn gallu gweld Duw. Yna dechreuodd y ddaear grynu. Ond doedd Elias ddim yn gallu gweld Duw.

Teimlodd Elias awel ysgafn yn chwythu o'i gwmpas. Gorchuddiodd ei wyneb â'i glogyn. Roedd Elias yn gwybod bod Duw gydag ef. Roedd yn siŵr fod Duw yn gwybod pam ei fod yn anhapus.

Yna, gwrandawodd Elias wrth i Dduw addo y byddai'n ei helpu.

1 Brenhinoedd 19:1–18

Eliseus yn helpu teulu tlawd

"Eliseus!" galwodd llais o rywle. Trodd Eliseus i weld pwy oedd yn galw arno.

Yno, safai hen wraig dlawd gyda'i dau fab.

"Plîs, helpa ni, Eliseus," meddai. "Does dim bwyd nac arian gen i. Mae fy meibion yn llwgu." "Beth sydd gen ti gartref?" holodd Eliseus.

"Dim ond ychydig o olew olewydd mewn jar," atebodd.

Roedd Eliseus yn gwybod y byddai Duw'n eu helpu, felly dywedodd, "Gofynna i dy gymdogion am lawer o jariau gwag. Yna gwna fel rydw i'n ei ddweud."

Dechreuodd y wraig a'i meibion guro ar ddrysau eu cymdogion. Cyn pen dim, roedd ganddyn nhw lawer iawn o jariau gwag. Yna, dywedodd Eliseus wrth y wraig am fynd adref ac arllwys yr olew oedd ganddi yn ei jar hi i mewn i'r holl jariau eraill.

Llenwodd un jar, yna un arall ac un arall ac un arall.

"Waw!" meddai'r meibion. "Yr holl olew yna o un jar!"

"Roedd Eliseus yn gwybod y byddai Duw'n ein helpu ni," meddai'r wraig. "Nawr gallwn ni werthu'r olew a phrynu tipyn o fwyd."

2 Brenhinoedd 4:1–7

Cartref i Eliseus

Roedd Eliseus yn ymweld â thref o'r enw Sunem.

Gofynnodd gwraig iddo, "Hoffet ti gael pryd o fwyd gyda ni?"

"Diolch," meddai Eliseus. Roedd yn llwglyd ac roedd ganddo ffordd bell i gerdded adref. Mwynhaodd Eliseus ei bryd bwyd gyda'r wraig a'i gŵr.

"Cei di fwyta gyda ni bob tro y doi di i Sunem," medden nhw.

Un diwrnod, pan aeth Eliseus i Sunem, roedd y wraig yn aros y tu allan i'w thŷ fel arfer, ond roedd y tŷ'n edrych yn wahanol. Roedd yna ystafell newydd ar y to! "Tyrd i weld," meddai'r wraig.

Aeth ag Eliseus i fyny'r grisiau ac agor y drws. Yn yr ystafell roedd yna wely, bwrdd, cadair a lamp.

"Mae hyn i gyd i ti, Eliseus," meddai'r wraig. "Rydyn ni'n gwybod pa mor galed rwyt ti'n gweithio dros Dduw. Mae croeso i ti aros yma bob tro y byddi di'n dod i Sunem."

"Diolch yn fawr," meddai Eliseus. "Fydd dim angen i mi gerdded yr holl ffordd adref bob nos nawr."

2 Brenhinoedd 4:8–10

Eliseus a Naaman

Roedd croen Naaman wedi'i orchuddio â briwiau poenus, a'r rheiny'n cosi! Clywodd am ddyn yn Israel fyddai'n gallu'i wella. Eliseus oedd ei enw, ac roedd yn gweithio i Dduw. Aeth Naaman a'i weision i Israel, a mynd â llawer o anrhegion gyda nhw.

Daeth Naaman o hyd i dŷ Eliseus a churo ar ei ddrws. Aeth gwas Eliseus i ateb y drws.

"Mae Eliseus yn dweud y dylet fynd i ymolchi saith o weithiau yn yr afon," meddai'r gwas wrth Naaman. "Yna, bydd Duw yn dy wella di."

"Rydw i'n ddyn pwysig iawn!" gwaeddodd Naaman. "Rydw i eisiau gweld Eliseus fy hun!"

Caeodd gwas Eliseus y drws. Roedd Naaman yn flin iawn, ond dywedodd ei was wrtho, "Dos i ymolchi yn yr afon. Mae'n beth hawdd ei wneud, a bydd Duw yn dy wella di."

Aeth Naaman at yr afon. Dyma fe'n ymolchi unwaith, ddwywaith, deirgwaith, pedair, pump a chwech o weithiau. Ar ôl iddo ymolchi am y seithfed tro, roedd yr holl friwiau ar ei groen wedi diflannu. Roedd Duw wedi'i wneud yn iach unwaith eto!

2 Brenhinoedd 5:1–19

Duw'n siarad ag Eliseus

Roedd Eliseus mewn perygl.

Roedd milwyr Syria yn dod i chwilio amdano a'i gipio.

Un diwrnod, daeth gwas Eliseus allan o dŷ Eliseus. Gwelodd lawer o filwyr ar gefn ceffylau, a cherbydau rhyfel ym mhobman. Rhedodd yn ôl i'r tŷ i ddweud wrth Eliseus. "Be wnawn ni?" holodd y gwas gan grio. "Mae cymaint o filwyr, a dim ond dau ohonom ni. Maen nhw'n siŵr o'n dal ni!"

"Na," meddai Eliseus. "Mae na fwy o filwyr yn ymladd ar ein hochr ni." Yna, dyma Eliseus yn gweddïo, "Gad i'm gwas weld." A phan edrychodd y gwas unwaith eto, gallai weld byddin Duw â cherbydau rhyfel cryf yn barod i ofalu am Eliseus!

Pan ddechreuodd y milwyr ymladd, gweddïodd Eliseus eto: "Gwna'n siŵr nad yw'r milwyr yn gallu fy ngweld i." Ac atebodd Duw ei weddi. Doedd y milwyr ddim yn gallu gweld! Aeth Eliseus atyn nhw. "Rydych chi yn y lle anghywir," meddai wrthyn nhw, ac aeth â nhw at frenin Israel. Rhoddodd hwnnw wledd arbennig iddyn nhw a'u hanfon adref eto!

Roedd Duw wedi cadw Eliseus yn saff. Ac aeth Eliseus yn ei flaen i weithio dros Dduw.

2 Brenhinoedd 6:8–23

Ffydd Heseceia yn Nuw

Roedd yna fyddin fawr o elynion y tu allan i furiau dinas Jerwsalem.

Roedd y Brenin Heseceia a'i bobl y tu fewn.

Gwaeddodd un o arweinwyr byddin y gelyn, "Allwch chi mo'n stopio ni! Fydd Duw ddim yn eich helpu! Byddwn yn cipio eich dinas!"

Siaradodd Heseceia â Duw. "Mae'r fyddin yn fawr iawn ac yn gryf iawn. Plîs, helpa ni!" meddai.

Anfonodd Duw ei negesydd Eseia i siarad â'r brenin. "Gallwn ymddiried yn Nuw," eglurodd Eseia. "Mae Duw'n dweud na fydd y fyddin yn ein brifo ni. Bydd Duw yn ein hamddiffyn ni a'r ddinas."

Roedd Heseceia'n credu neges Duw. Roedd yn ymddiried yn Nuw.

A'r bore wedyn, roedd holl fyddin y gelyn wedi mynd!

2 Brenhinoedd 18:13–19:37

Heseceia ac Eseia

Roedd y Brenin Heseceia'n sâl iawn. Siaradodd â Duw. "Rydw i bob amser wedi ceisio gwneud popeth a ddywedaist wrtha i erioed," meddai'r Brenin Heseceia, gan grio am ei fod mor drist ac yn teimlo mor wan.

Anfonodd Duw ei negesydd Eseia i siarad â'r brenin. "Mae Duw wedi dy glywed di," eglurodd Eseia. "Bydd yn dy wella di. Ymhen tri diwrnod, byddi di'n ddigon da i allu cerdded unwaith eto. Byddi di hyd yn oed yn gallu mynd i addoli Duw yn y Deml." Yna, dywedodd Eseia wrth y gweision beth i'w wneud i wella Heseceia.

Ac ar ôl tri diwrnod, roedd Heseceia'n well! Roedd mor iach fel y gallai fynd i addoli Duw yn y Deml. Roedd Duw wedi cadw'i addewid.

2 Brenhinoedd 20:1–11

Moli Duw!

Mae'r gerdd hon yn y Beibl. Mae'n sôn am foli Duw. Beth am i chi ymuno yn yr hwyl drwy esgus chwarae'r gwahanol offerynnau?

Duw sydd wedi gwneud ein byd arbennig.

Gwaeddwch fawl i'n Duw rhyfeddol. (Hwrê!)

Mae wedi gwneud cymaint o bethau i'n helpu ni.

Gwaeddwch fawl i'n Duw rhyfeddol. (Hwrê!)

Chwaraewch y trwmped. (Twwt, twwt.)

Canwch y delyn. (Twang, twang.)

Ysgydwch damborîn (Jingl, jangl) a dawnsiwch.

Duw sydd wedi gwneud ein byd arbennig.

Gwaeddwch fawl i'n Duw rhyfeddol. (Hwrê!)

Chwaraewch gitâr. (Strym, strym.)

Canwch y ffliwt. (La-la-la.)

Pawb i chwarae'r symbalau (Crash, crash.)

Duw sydd wedi gwneud ein byd arbennig.

Gwaeddwch fawl i'n Duw rhyfeddol. (Hwrê!)

Salm 150

Joseia'n frenin!

Roedd y Brenin Joseia'n frenin da.

Dysgodd y bobl i addoli a gweddïo ar Dduw.

Penderfynodd y Brenin Joseia fod angen glanhau a thrwsio'r Deml, sef yr adeilad lle byddai pobl yn mynd iddo i addoli Duw.

Buon nhw'n brwsio ac yn golchi ac yn polisio. Buon nhw'n llifio ac yn morthwylio. Yna, daeth rhywun o hyd i hen sgrôl oedd wedi bod ar goll ers blynyddoedd.

Cyfraith Duw oedd yn y sgrôl a phopeth roedd Duw am i'w bobl eu gwneud! Dyna sgrôl bwysig!

Roedd y Brenin Joseia'n drist iawn pan ddarllenodd y sgrôl. Doedd pobl ddim wedi bod yn gwneud y pethau a ddywedodd Duw. Felly, galwodd Joseia bawb at ei gilydd. Darllenodd y sgrôl iddyn nhw, fel bod pawb yn gwybod beth oedd Duw am iddyn nhw ei wneud.

2 Brenhinoedd 22:1–13; 23:1–3

Joseia'n darllen llyfr Duw

Darllenodd y Brenin Joseia eiriau Duw. Teimlai'n drist, oherwydd roedd yn gwybod nad oedd e na'r bobl wedi bod yn gwneud yr hyn roedd Duw am iddyn nhw ei wneud. Gofynnodd Joseia i Dduw faddau iddo.

Ond roedd Joseia'n falch hefyd, oherwydd roedd yn gwybod erbyn hyn beth oedd Duw am iddo ei wneud. Casglodd Joseia yr holl bobl at ei gilydd a gwneud addewid i Dduw.
Dywedodd Joseia, "Rydw i'n addo i ti, Dduw, y bydda i'n ufuddhau i ti. Byddaf yn gwneud y pethau sydd wedi'u hysgrifennu yn y Beibl."

Roedd Joseia'n gwybod fod geiriau Duw ar gyfer pawb, felly gofynnodd i'r holl bobl addo y bydden nhw'n ufuddhau i eiriau Duw.

Cadwodd Joseia ei addewid! Bu'n dathlu a moli Duw, fel y dywedai'r Beibl. Ymunodd yr holl bobl gydag ef, gan chwarae cerddoriaeth, bwyta gyda'i gilydd a chael amser gwych yn addoli Duw.

Gwnaeth y Brenin Joseia bopeth a ddywedai geiriau Duw.

2 Brenhinoedd 23:1–23

Jeremeia'n gweld crochenydd

Dywedodd Duw wrth Jeremeia am fynd i'r siop lestri. Nid siop i werthu llestri yn unig oedd hi, ond gallai Jeremeia fynd yno i wylio'r crochenydd yn gwneud potiau a jariau a phowlenni o glai.

Roedd y crochenydd yn ffurfio'r clai gyda'i ddwylo gwlyb. Tynnai'r clai gyda'i fysedd a'i fodiau, gan wneud y siâp yn dalach, yn llyfnach ac yn fwy crwn, neu weithiau – wwwps! – yn ddi-siâp!

Pan fyddai hynny'n digwydd, neu os na fyddai'r crochenydd yn hoffi siâp y potyn, byddai'n gwthio'r clai at ei gilydd ac yn dechrau eto. Roedd y crochenydd am i'w lestri fod y gorau y gallai eu creu. Byddai'n gweithio ac yn gweithio nes bod pob llestr yn berffaith!

Dywedodd Duw wrth Jeremeia am ddweud wrth y bobl ei fod eisiau iddyn nhw fod y bobl orau bosib. A byddai Duw'n gweithio ac yn gweithio i'w gwneud yn bobl berffaith, fel y crochenydd a weithiai i wneud ei lestri'n berffaith.

Jeremeia 18:1–12

Jeremeia'n prynu cae

Dywedodd Duw wrth Jeremeia y dylai brynu cae. Ond roedd Jeremeia yn y carchar! Sut y gallai e brynu cae? A sut y gallai ofalu amdano? Sut y gallai dyfu planhigion neu gadw anifeiliaid fferm i fwyta'r gwair?

Galwodd cefnder Jeremeia draw i'w weld. "Mae gen i gae i'w werthu," meddai. "Hoffet ti ei brynu?"

"Mae'n rhaid mai hwn yw'r cae mae Duw am i mi ei brynu," sylweddolodd Jeremeia. Talodd Jeremeia i'w gefnder. Rhoddodd ei gefnder ddarn o bapur i Jeremeia yn dweud mai ef oedd biau'r cae nawr. Cadwodd Jeremeia'r papur yn saff. Doedd e ddim yn gwybod o hyd sut y byddai'n gofalu am ei gae newydd.

Yna, dywedodd Duw wrtho, "Un diwrnod, bydd fy holl bobl yn rhydd i ofalu am eu caeau unwaith eto."

Doedd Jeremeia ddim yn gwybod pryd fyddai'r diwrnod hwnnw – ond gwyddai fod Duw bob amser yn cadw at ei air.

Jeremeia 31:1–6; 32:1–15

Jeremeia a'r sgrôl

Negesydd Duw oedd Jeremeia. Byddai'n dweud wrth y bobl bopeth a ddywedai Duw wrtho. Ond doedd y bobl ddim am wrando. "Bydd dawel, Jeremeia," medden nhw.

Roedd Jeremeia'n adrodd geiriau Duw o hyd. Ysgrifennai Baruch, oedd yn ei helpu, y geiriau ar sgrôl. Darllenodd Baruch y geiriau yn uchel i'r bobl. Doedd y bobl ddim am wrando! Aethon nhw â'r sgrôl at y brenin. "Darllenwch hwn!" mynnodd y brenin.

Agorodd un dyn y sgrôl. "Mae Duw am i chi ufuddhau iddo," darllenodd.

"Dydw i ddim eisiau gwrando ar hyn!" cwynodd y brenin. Torrodd ddarn oddi ar y sgrôl a'i daflu i'r tân. Bob tro y byddai'r dyn yn darllen ychydig o eiriau, byddai'r brenin yn eu torri i ffwrdd a'u llosgi – nes bod y sgrôl gyfan wedi mynd!

Siaradodd Duw â Jeremeia unwaith eto. Dywedodd Jeremeia wrth Baruch beth i'w ysgrifennu. Ysgrifennodd Baruch y cyfan i lawr ar sgrôl arall. Doedd y brenin ddim yn gallu stopio geiriau Duw!

Jeremeia 36

Jeremeia i lawr y pydew

Roedd rhai dynion am gael Jeremeia i drwbwl. Dywedodd y brenin y gallen nhw gosbi Jeremeia. Dyma nhw'n ei roi mewn twll dwfn a thywyll. Roedd ei ochrau'n serth ac yn llithrig ac roedd mwd afiach ar waelod y twll dwfn. Doedd Jeremeia ddim yn gallu dod allan ohono.

Ond yna, clywodd dyn da oedd yn gweithio i'r brenin beth oedd wedi digwydd. Aeth i weld y brenin. "Eich mawrhydi," meddai, "dydy hyn ddim yn deg. Dydy Jeremeia ddim wedi gwneud dim o'i le. Os bydd Jeremeia'n aros i lawr y twll yna, fydd ganddo ddim bwyd a bydd yn marw."

Gwrandawodd y brenin ar eiriau'r dyn da. "Iawn," cytunodd. "Dos i nôl Jeremeia."

Daeth y dyn da o hyd i raffau, a mynd â chriw o ddynion gydag e i'w helpu. Gyda'i gilydd, dyma nhw'n tynnu a thynnu nes bod Jeremeia allan o'r twll mwdlyd.

Roedd gan Jeremeia waith i'w wneud o hyd, sef bod yn negesydd i Dduw.

Jeremeia 38:1–13

Duw'n siarad ag Eseciel

Roedd Eseciel yn gwybod bod pobl Dduw yn drist. Roedden nhw'n byw mor bell oddi cartref ac am fynd yn ôl yno.

Felly, dyma Duw'n dweud wrth Eseciel:

"Ti'n gwybod sut y mae bugail yn gofalu am ei ddefaid? Wel, pan fydd y defaid ar goll, mae'n chwilio amdanyn nhw. Mae'n dod â nhw adref ac yn gadael iddyn nhw fwyta'r glaswellt yn y caeau a'r dyffrynnoedd. Mae'n eu cadw nhw'n saff pan fyddan nhw'n pori.

"Fydd y bugail ddim yn gadael i neb frifo'r defaid. Mae'n mynd allan i chwilio am y rhai sy'n crwydro i ffwrdd ac yn dod â nhw'n ôl yn ofalus. Mae'n plygu i lawr i godi'r rhai sydd wedi brifo ac yn rhoi rhwymau am eu briwiau. Mae'n rhoi gofal arbennig i'r rhai lleiaf a'r gwannaf."

Dywedodd Duw, "Eseciel, dweda wrth fy mhobl drist: 'Rydw i'n eich caru gymaint ag y mae bugail yn caru'i ddefaid. Rydych yn bell o gartref, ond mi ddof â chi'n ôl. Byddaf yn gofalu amdanoch bob amser.' "

Eseciel 34

Eseciel a Duw

Roedd Eseciel yn gwybod bod pobl Dduw yn drist. Roedden nhw'n byw yn bell iawn o gartref ac yn meddwl na fydden nhw byth yn mynd yn ôl yno. Felly, dywedodd Duw wrth Eseciel: "Edrych, dyma lun i ti. Beth weli di?"

"Dyffryn yn llawn o esgyrn sych," meddai Eseciel. "Esgyrn sych nad ydyn nhw'n symud."

Dywedodd Duw, "Galla i wneud iddyn nhw symud. Galla i eu gwneud nhw'n bobl."

Wrth i Eseciel edrych arnyn nhw, trodd yr esgyrn yn bobl. Ond doedden nhw ddim yn symud.

Dywedodd Duw, "Dwed wrthyn nhw am anadlu er mwyn iddyn nhw allu byw, symud o gwmpas a meddwl."

"Mae Duw yn eich gorchymyn i anadlu," meddai Eseciel. Wrth iddo siarad, chwythodd gwynt ymysg y bobl ac fe ddaethon nhw'n fyw! Dyma nhw'n sefyll ac yn dechrau symud o gwmpas.

Dywedodd Duw, "Mae fy mhobl i fel yr esgyrn. Maen nhw'n drist am eu bod yn meddwl na fyddan nhw byth yn mynd adref. Ond bydda i'n rhoi bywyd newydd iddyn nhw. Byddan nhw'n mynd adref ac yn gwybod fy mod i'n eu caru nhw. Fi yw eu Duw."

Eseciel 37

Bywyd newydd Daniel

"Beth wnawn ni?" holodd Daniel. Edrychodd ar y bwyd ar ei blât. "Mae'r brenin am i ni fwyta hwn, ond dydy Duw ddim yn gadael i ni fwyta'r bwyd yma." Edrychai ei dri ffrind yn bryderus a dweud, "Os na wnawn ni fwyta bwyd y brenin, bydd yn flin. Byddwn ni mewn trwbwl."

"Ond mae'n rhaid i ni wneud yr hyn mae Duw am i ni ei wneud," meddai Daniel.

Felly, aeth Daniel i weld y dyn oedd yn gofalu amdano ef a'i dri ffrind. "Dydy Duw ddim yn fodlon i ni fwyta'r bwyd yma – dim ond y llysiau a'r dŵr."

Edrychodd y dyn yn ofnus. "Beth fydd yn digwydd os af i â chi i weld y brenin a bod yr holl ddynion ifanc eraill yn edrych yn iach ar wahân i chi? Byddaf mewn trwbwl."

"Gadewch i ni fwyta llysiau am ddeg diwrnod. Cawn weld beth fydd yn digwydd," meddai Daniel. Ar ôl deg diwrnod, roedd Daniel a'i ffrindiau yn iachach na'r lleill i gyd. Roedden nhw wedi plesio'r brenin ac wedi gwneud yr hyn oedd Duw ei eisiau!

Daniel 1

Breuddwyd y brenin

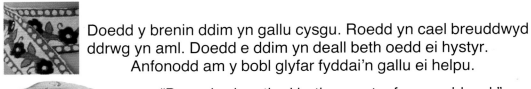

Doedd y brenin ddim yn gallu cysgu. Roedd yn cael breuddwyd ddrwg yn aml. Doedd e ddim yn deall beth oedd ei hystyr. Anfonodd am y bobl glyfar fyddai'n gallu ei helpu.

"Dywedwch wrtha i beth yw ystyr fy mreuddwyd," mynnodd.

"Dywed wrthym am dy freuddwyd a gwnawn hynny," medden nhw.

"Na," meddai'r brenin. "Mae'n rhaid i chi ddweud wrtha i beth yw fy mreuddwyd i."

Ysgydwodd y bobl glyfar eu pennau.

"Does neb yn ddigon clyfar i wneud hynny. Dim ond Duw sy'n gwybod beth yw ein breuddwydion."

Aeth y brenin yn flin. "Felly, bydd raid i mi eich carcharu chi!" gwaeddodd. "Pob un ohonoch!"

Ond roedd Daniel yn meddwl y gallai helpu. Gweddïodd, "Ein Duw, rwyt ti'n gwybod popeth ac rwyt ti'n bwerus. Rydw i'n gwybod y byddi di'n gallu dweud wrthym am freuddwyd y brenin. Gelli di fy helpu i ddeall ei hystyr. Diolch."

Yna, aeth Daniel at y brenin. "Paid â rhoi unrhyw un yn y carchar na'u brifo. Mae Duw wedi dweud wrtha i am dy freuddwyd di a'i hystyr. Mae Duw wedi fy helpu."

Daniel 2

Ffrindiau Daniel

Adeiladodd y brenin gerflun aur anferth a gorchymyn i holl bobl bwysig y wlad sefyll o'i flaen. "Pan fyddwch yn clywed y gerddoriaeth," dywedodd wrthyn nhw, "mae'n rhaid i chi blygu ac addoli'r cerflun."

Fe glywson nhw'r gerddoriaeth, y trwmpedi, y ffliwtiau a'r telynau. Plygodd pawb i addoli'r cerflun aur – pawb ond tri ffrind Daniel. "Dim ond Duw rydyn ni'n ei addoli," medden nhw. "Bydd yn edrych ar ein holau."

Roedd y brenin yn flin iawn. "Fe rof gyfle arall i chi," gwaeddodd. "Pan fyddwch yn clywed y gerddoriaeth, plygwch ac addoli'r cerflun neu byddaf yn eich taflu i'r tân."

Fe glywson nhw'r gerddoriaeth, y trwmpedi, y ffliwtiau a'r telynau. Ond ni phlygodd y ffrindiau.

Taflodd y brenin nhw i'r tân. Ond, er syndod mawr iddo, doedd y tri ffrind ddim wedi llosgi o gwbl!

Tynnodd y brenin y ffrindiau o'r tân. "Mae Duw wedi gofalu amdanoch," meddai. "Nawr, rhaid i bawb addoli eich Duw chi."

Daniel 3

Daniel yn gweddïo ar Dduw

Bob dydd, byddai Daniel yn mynd i'w ystafell ac yn gofyn i Dduw am help.

"Gadewch i ni gael gwared o Daniel," meddai rhyw ddynion.

"Daniel ydy ffefryn y brenin. Dydy'r peth ddim yn deg o gwbl," cwynodd y dynion.

Dyma nhw'n aros i Daniel i wneud rhywbeth o'i le, ond ni ddigwyddodd hynny. Ond gwelodd y dynion fod Daniel yn gweddïo ar Dduw yn aml. Roedden nhw am chwarae tric arno.

"Pam na wnewch chi reol newydd?" medden nhw wrth y brenin. "Ddylai neb ofyn am help gan unrhyw un oni bai amdanoch chi, am dri deg o ddyddiau."

"Syniad da," meddai'r brenin. "Os bydd unrhyw un yn torri'r rheol, byddaf yn ei daflu at y llewod."

Clywodd Daniel am y rheol newydd, ond roedd yn dal i fynd i'w ystafell i ofyn i Dduw am help.

Dywedodd y dynion drwg wrth y brenin amdano, a chafodd ei daflu at y llewod.

Y bore wedyn, aeth y brenin i weld beth oedd wedi digwydd. Roedd Daniel yn saff! "Rhwystrodd Duw y llewod rhag fy mrifo i," meddai wrth y brenin. "Mae Duw yn wych!"

Daniel 6

Esther hardd

Roedd angen gwraig newydd ar y Brenin Ahasferus. Daeth â merched harddaf y wlad i'w balas. Esther oedd un ohonyn nhw. Iddewes oedd hi, un o bobl arbennig Dduw.

Cafodd y merched bob gofal. Fe gawson nhw driniaethau arbennig i'w gwneud yn harddach fyth. Yna, dewisodd y brenin un i fod yn wraig iddo. Esther oedd honno.

Ddywedodd Esther ddim wrth y brenin mai Iddewes oedd hi.

Un diwrnod dyma Mordecai, cefnder Esther, yn dweud wrthi fod pob Iddew mewn perygl. Roedd eu gelyn, Haman, yn ceisio cael gwared ohonyn nhw i gyd.

"Roedd y brenin yn credu holl gelwyddau Haman," dywedodd Mordecai wrthi. "Bydd pob Iddew yn cael ei ladd."

Roedd Esther yn drist. Gwyddai fod yn rhaid iddi helpu. "Er mai fi yw'r frenhines," meddai, "dydw i ddim yn gallu mynd at y brenin heb wahoddiad. Ond fe af i weld a alla i newid ei feddwl. Dywed wrth bob Iddew am weddïo drosof."

Esther 1–4

Esther yn achub pobl Dduw

Roedd Esther yn gwybod bod pobl Dduw mewn perygl. Roedd Haman yn dweud celwyddau oedd yn gwneud i'r brenin gasáu pobl Dduw, sef yr Iddewon. Bydden nhw i gyd yn cael eu brifo os na allai hi fynd at y brenin a dweud y gwir wrtho.

Ond, er mai hi oedd y frenhines, doedd hi ddim yn gallu gweld y brenin unrhyw bryd yr hoffai. Roedd yn rhaid iddi aros iddo ofyn amdani.

Beth allai hi ei wneud? Meddyliodd am gynllun clyfar.

Yn ddewr, aeth at y brenin. Doedd e ddim yn flin, felly dywedodd Esther, "Tyrd i barti rwy'n ei gynnal, parti arbennig ar dy gyfer di a Haman."

Roedd y brenin yn hapus iawn. Yn y parti, dywedodd wrth Esther y gallai gael beth bynnag a ddymunai hi.

"Plîs wnei di arbed fy mhobl, yr Iddewon?" gofynnodd iddo. "Mae ein gelyn, Haman, am gael gwared ohonom."

Roedd y brenin yn flin iawn gyda Haman. "Byddaf yn stopio Haman rhag brifo dy bobl," meddai wrth Esther, ac anfonodd Haman i ffwrdd. Roedd Esther wedi achub pobl Dduw.

Esther 5–10

Jona'n rhedeg i ffwrdd

"Jona," meddai Duw, "rydw i eisiau i ti fynd i dref o'r enw Ninefe. Rydw i eisiau i ti roi neges i'r bobl oddi wrtha i."

"Dydw i ddim yn mynd yno," meddyliodd Jona. "Mae'n hen le ofnadwy!"

Felly, aeth Jona i lawr i'r harbwr, camu ar gwch a hwylio i rywle arall. Pan oedd y cwch allan yng nghanol y môr, daeth storm fawr. Chwythodd y gwynt a chododd y tonnau'n uwch ac yn uwch. Roedd pawb yn ofnus iawn. "Rydyn ni'n mynd i foddi!" medden nhw. "Beth wnawn ni?"

"Fy mai i yw hyn," meddai Jona. "Ddylwn i ddim fod wedi trio rhedeg i ffwrdd oddi wrth Dduw."

Dywedodd Jona wrth y morwyr am ei daflu i'r môr. "Bydd hynny'n gwneud i'r storm stopio," meddai wrthyn nhw.

Ond cadwodd Duw Jona'n saff. Anfonodd bysgodyn mawr i lyncu Jona a'i gario at dir sych. "Mae'n ddrwg gen i, Dduw," meddai Jona. "Fe ddylwn i fod wedi gwneud yr hyn a ddywedaist wrtha i."

Jona 1–2

Jona'n ufuddhau i Dduw

"Jona," meddai Duw eto, "rydw i eisiau i ti fynd i Ninefe. Dos â neges i'r bobl oddi wrtha i. Dwed wrthyn nhw fy mod i'n flin gyda nhw oherwydd yr holl bethau drwg maen nhw wedi'u gwneud. Dywed wrthyn nhw 'mod i'n mynd i'w cosbi trwy ddinistrio eu dinas!"

Y tro hwn, ufuddhaodd Jona i Dduw. Aeth i Ninefe. Roedd y bobl yno'n drist iawn pan glywson nhw neges Duw. "Tasen ni'n dangos ein bod ni'n flin iawn am y pethau hyn," medden nhw, "efallai y bydd Duw yn newid ei feddwl."

Dyma pawb, gan gynnwys y brenin, yn dechrau gweddïo. Tynnodd pawb eu dillad gorau a gwisgo rhai blêr, o ddefnydd garw. Dyma nhw'n stopio bwyta, ac yfed dim byd ond dŵr. "Gall Duw weld ein bod ni'n sori nawr," medden nhw, "ac efallai y bydd yn newid ei feddwl."

Ac am fod Duw yn caru pobl ac yn gofalu amdanyn nhw, dyna ddigwyddodd!

Jona 3–4

Nehemeia'n mynd adref

Sut hwyl? Nehemeia ydw i! Pan gefais lythyr gan fy mrawd, roeddwn i'n drist. Dyma'r llythyr: "Annwyl Nehemeia, dyw pethau ddim yn dda gartref yn Jerwsalem. Mae'r waliau wedi'u chwalu ac mae'r gatiau wedi'u llosgi."

Eisteddais i lawr a chrio. Roeddwn i eisiau mynd i Jerwsalem, ond a fyddai'r brenin yn gadael i mi fynd? Siaradais â Duw, "Arglwydd Dduw, rwyt ti'n wych. Plîs, helpa fi heddiw."

Roedd y brenin am i bawb edrych yn hapus, ond oherwydd 'mod i mor drist, doeddwn i ddim yn gallu gwenu.

"Pam wyt ti'n edrych mor drist?" holodd y brenin.

Dywedais wrtho, "Mae waliau Jerwsalem, sef fy nghartref, wedi'u chwalu ac mae'r gatiau wedi'u llosgi."

"Sut alla i dy helpu di?" holodd y brenin.

Siaradais â Duw unwaith eto. Yna dywedais, "Plîs, gad i mi fynd adref i ailadeiladu'r ddinas."

"Mae croeso i ti fynd," meddai'r brenin.

Roeddwn i mor hapus. Roeddwn i'n cael mynd adref!

Nehemeia 1:1–2:10

Nehemeia'n adeiladu i Dduw

Sut hwyl? Nehemeia ydw i! Pan gyrhaeddais adref i Jerwsalem, edrychais o gwmpas y ddinas gyda'r nos. Roedd y waliau wedi'u chwalu a'r gatiau wedi'u llosgi, yn union fel y soniodd fy mrawd yn ei lythyr.

Roedd angen llawer o help arnaf i ailgodi'r waliau a gwneud Jerwsalem yn saff eto rhag y gelyn. Ond a fyddai'r bobl yn fodlon helpu?

Yn y bore, galwais bobl Jerwsalem at ei gilydd. Dywedais wrthyn nhw, "Mae llanast mawr yn Jerwsalem. Mae'r waliau wedi'u chwalu a'r gatiau wedi'u llosgi.

Mae'n rhaid i ni ailgodi'r waliau a gosod gatiau unwaith eto er mwyn i ni allu bod yn falch o'n dinas! Bydd ein gelynion yn ceisio ein rhwystro, ond bu Duw yn dda wrthon ni. Bydd yn cadw at ei air ac yn gofalu amdanom. Bydd y brenin yn anfon yr holl goed y byddwn eu hangen. Wnewch chi helpu?"

Safodd y bobl ar eu traed a dweud, "Beth am ddechrau heddiw!"

A dyma gychwyn ar y gwaith.

Nehemeia 2:11–3:32

Nehemeia mewn trwbwl

Sut hwyl? Nehemeia ydw i! Dyna i chi waith caled oedd adeiladu waliau o gwmpas Jerwsalem! Gweithiodd y bobl drwy'r dydd, rhai'n llusgo cerrig ac eraill yn adeiladu. Yna, aeth pethau'n fwy anodd byth!

Roedd ein gelynion yn ceisio ein stopio rhag gweithio. Roedden nhw'n chwerthin ar ein pennau, ond gofynnais i Dduw ein helpu ni. Ac aethom ymlaen gyda'r gwaith o adeiladu waliau o gwmpas Jerwsalem.

Unwaith eto, roedd ein gelynion yn ceisio ein stopio rhag gweithio. "Rydym am ymladd â chi!" medden nhw. Ond gofynnais i Dduw ein helpu. Dyma ni'n paratoi i ymladd yn ôl gan ddal ymlaen i adeiladu waliau o gwmpas Jerwsalem.

Unwaith eto, gwnaeth ein gelynion eu gorau glas i'n rhwystro rhag gweithio! "Rydym am ddweud wrth y brenin dy fod ti am fod yn frenin yn ei le! Pan fydd yn clywed hynny, bydd yn siŵr o'ch stopio rhag adeiladu," medden nhw. Ond gofynnais i Dduw ein helpu i fod yn ddewr. A daliodd pawb ati i adeiladu'r waliau o gwmpas Jerwsalem.

A chyda help Duw, buon ni'n adeiladu nes bod y waliau wedi'u gorffen!

Nehemeia 4:1–6:14

Nehemeia'n arwain y ffordd

Sut hwyl? Nehemeia ydw i! Dyna i chi ddathliad gawsom ni wedi i ni orffen adeiladu'r waliau o gwmpas Jerwsalem. Roedden ni'n saff oddi wrth ein gelynion ac roedd Duw wedi ein helpu. Dyma beth wnaethon ni.

Buon ni'n canu a chwarae cerddoriaeth gyda phobl yn taro symbalau ac yn canu telynau – y cyfan i ddiolch i Dduw am ein helpu ni. Dyma ni'n dringo i ben y wal fawr, lydan ac yn cerdded o gwmpas. Roedd un grŵp yn cerdded o gwmpas y wal un ffordd a grŵp arall yn cerdded y ffordd arall.

Yna, safodd pawb o flaen y Deml a moli Duw eto, y tro hwn gyda thrwmpedi a chanu uchel. Roedd Duw wedi ein gwneud ni'n hapus iawn ac felly roedd pawb yn canu o waelod eu calonnau ac yn ei addoli.

Yna, dywedodd y bobl, "Byddwn yn byw fel y mae Duw am i ni fyw. Byddwn yn cadw at ei reolau."

Ymunodd yr holl ddynion, y gwragedd a'r plant yn y dathlu. Roedden nhw'n gweiddi mor uchel am eu bod nhw'n hapus, nes bod modd eu clywed ymhell, bell i ffwrdd!

Nehemeia 9:38–10:39; 12:27–43

Geiriau hyfryd yn y Beibl!

Yn y Beibl, edrychwch chi,
ceir geiriau hyfryd gan Dduw.
Molwn Dduw! Mae'n dda!
Mae ei gariad yn para am byth.
Mae'n gwneud pethau arbennig.
Mae ei gariad yn para am byth.
Mae ei bobl yn gwybod pa mor gryf yw Ef.
Mae ei gariad yn para am byth.
Does neb mor gryf â Duw.
Mae ei gariad yn para am byth.
Ef a wnaeth yr awyr fry uwchben.
Mae ei gariad yn para am byth.
Ymestynnodd y tir ar draws y môr.
Mae ei gariad yn para am byth.
Ef a wnaeth y goleuadau llachar yn yr awyr.
Mae ei gariad yn para am byth.
A hefyd yr haul sy'n rheoli bob dydd.
Mae ei gariad yn para am byth.
Y lleuad a'r sêr i reoli bob nos.
Mae ei gariad yn para am byth.
Yn y Beibl, edrychwch chi,
ceir geiriau hyfryd
yn llyfr arbennig Duw.

Yn seiliedig ar Salm 136:1–9

Storïau Beiblaidd o'r Testament Newydd

"Dywedodd Iesu, 'Gadewch i'r plant ddod ataf fi.' A chymerodd hwy yn ei freichiau a'u bendithio, gan roi ei ddwylo arnynt."

Marc 10:14-16

"Diolchwch i'r Arglwydd, oherwydd da
yw, ac y mae ei ffyddlondeb dros byth."

Salm 107:1

Y Baban Ioan

Roedd Sachareias ac Elisabeth yn hen. Er y bydden nhw wedi hoffi cael plentyn, doedd ganddyn nhw run. Un diwrnod, anfonodd Duw angel i ddweud wrth Sachareias y bydden nhw'n cael mab yn fuan iawn. "Bydd yn un arbennig ac yn helpu llawer o bobl i gofio ufuddhau i Dduw. Byddwch yn ei enwi'n Ioan."

Dyna syrpréis! "Ond rydyn ni'n rhy hen!" meddai Sachareias.

"Mae'r hyn a ddywedais yn wir," meddai'r angel. "Ond gan nad wyt yn credu addewid Duw, fyddi di ddim yn gallu siarad nes bydd y baban yn cael ei eni."

Aeth Sachareias adref, heb allu dweud gair.

Cyn hir, ganwyd bachgen bach i Elisabeth. "Beth fydd ei enw?" holodd pawb.

"Ioan," meddai Elisabeth.

"Na, Sachareias ddylai fod, fel ei dad," medden nhw wrthi.

Ond cofiodd Sachareias beth a ddywedodd yr angel ac ysgrifennodd hynny i lawr: "Ioan ydy ei enw."

Yna, o'r diwedd, gallai Sachareias siarad unwaith eto. Diolchodd i Dduw am y syrpréis arbennig – bachgen bach o'r enw Ioan!

Luc 1:5–25, 57–66

Neges i Mair

Roedd Mair wrthi'n brysur yn ei chartref. Roedd hi'n paratoi i briodi Joseff yn fuan ac roedd llawer ganddi i'w wneud. Roedd hi'n edrych ymlaen yn fawr at y briodas.

Yn sydyn, edrychodd Mair i fyny. Roedd angel yn sefyll yno ac roedd Mair wedi rhyfeddu. Doedd hi 'rioed wedi gweld angel o'r blaen.

"Paid â bod ofn, Mair," meddai'r angel. "Mae gen i neges bwysig i ti. Mae Duw wedi dy ddewis di i gael babi arbennig iawn. Mab Duw fydd y bachgen bach."

Doedd Mair ddim yn deall. "Ond beth am ein priodas ni?" holodd.

Gwenodd yr angel. "Paid â phoeni. Mae Duw yn gwybod am hynny," meddai. Yna, diflannodd yr angel.

Meddyliodd Mair am neges yr angel. Byddai Mab Duw'n cael ei eni'n fuan, ac roedd hi wedi cael ei dewis i fod yn fam iddo. Rhyfeddol! Canodd Mair yn hapus wrth iddi weithio. Beth fyddai Joseff yn ei ddweud pan glywai ei newyddion, tybed?

Luc 1:26–38

Cân Mair

Roedd Duw wedi anfon angel i ddweud wrth Mair ei bod yn mynd i gael babi, sef Mab Duw. Ar ôl i'r angel adael, aeth Mair i weld ei chyfnither, Elisabeth.

Pan gyrhaeddodd Mair dŷ Elisabeth, doedd dim angen iddi ddweud wrth Elisabeth am y babi. Roedd Elisabeth yn gwybod yn barod. Roedd Duw wedi dweud wrthi!

"Gwych, gwych!" gwaeddodd Elisabeth. "Rwyt ti'n mynd i fod yn fam i Fab Duw!"

Roedd Mair mor hapus, dyma hi'n canu'r gân yma:

"Dwi mor falch fod Duw yn fy ngharu i!

Bob dydd, byddaf yn diolch iddo.

Pan fydd ffrindiau'n gweld yr hyn a wnaeth,

Byddant yn siŵr o ddweud, 'Anhygoel!'

Mae Duw yn gofalu am y rhai anghenus,

Yn helpu pawb sy'n ei garu.

Mae Duw yn wych ac mae Duw yn dda,

Does neb gwell nag Ef!"

Luc 1:46–55

Neges i Joseff

Un noson, cafodd Joseff freuddwyd. "Mae'n wir," meddai angel wrtho. "Mae Mair yn mynd i gael babi arbennig iawn, sef Mab Duw. Rhaid i chi ei enwi'n Iesu."

Roedd Joseff yn caru Mair, ac yn hapus i'w phriodi hi a gofalu am y babi arbennig.

Roedd ymerawdwr Rhufain am wybod faint o bobl oedd yn byw yn y wlad lle roedd Mair a Joseff yn byw. Felly, gorchmynnodd fod pawb yn teithio'n ôl i'r fan lle cawson nhw eu geni.

Aeth Mair a Joseff ar daith hir o'u cartref i dref o'r enw Bethlehem. Roedd Mair yn flinedig iawn. Byddai ei babi'n cael ei eni'n fuan. Ond roedd llawer o bobl eraill wedi cyrraedd yno o'u blaen nhw. Roedd pob gwesty'n llawn. Doedd dim lle i Mair a Joseff aros.

Cynigiodd rhyw ddyn caredig y gallen nhw orffwys yn ei stabl. Yno y ganed Iesu, Mab Duw.

Mathew 1:18–23;
Luc 2:1–6

Geni Iesu

 Roedd Mair a Joseff yn hapus iawn. Roedd hi bron yn amser i Mair gael ei babi. Doedd Mair ddim yn gallu cael ei babi gartref. Bu'n rhaid i Mair a Joseff adael eu cartref a theithio ffordd bell iawn i dref o'r enw Bethlehem. Pan gyrhaeddon nhw, roedd Bethlehem yn llawn o bobl. Chwiliodd Mair a Joseff am le i aros. Ond roedd pobman yn llawn o bobl eisoes. Doedd dim ystafell yma! Dim ystafell fan acw! Beth oedden nhw'n mynd i'w wneud?

Yna, daeth dyn caredig atyn nhw a dweud y gallen nhw aros yn ei stabl, yn ymyl ei dŷ. Yno roedd yr anifeiliaid yn byw. Roedd Mair a Joseff yn falch iawn o gael lle i orffwys o'r diwedd.

Yn fuan iawn, cafodd y baban Iesu ei eni. Dyma Mair yn ei rwymo mewn cadachau i'w gadw'n gynnes. A gwnaeth Joseff wely cyffordddus iddo yn y gwellt. Roedd Mair a Joseff yn hapus iawn. Roedd Iesu wedi'i eni!

Luc 2:1–7

Neges i'r bugeiliaid

Un noson, roedd bugeiliaid ar fynydd y tu allan i ddinas Bethlehem. Yn sydyn, gwelson nhw olau llachar ac angel yn yr awyr. Roedd y bugeiliaid yn ofnus. "Peidiwch â bod ofn," meddai'r angel. "Rydw i wedi dod â newyddion gwych i chi. Mae Mab Duw wedi'i eni heno!"

Yna, ymddangosodd llawer iawn mwy o angylion yn yr awyr gan ganu, "Mawl i Dduw yn y nefoedd. Heddwch i bawb ar y ddaear."

Wedi i'r angylion fynd, dywedodd y bugeiliaid wrth ei gilydd, "Dewch, beth am i ni fynd i weld y babi arbennig yma." Dyma nhw'n gadael eu defaid ac yn rhedeg i lawr y mynydd tuag at Fethlehem. Daethant o hyd i'r baban Iesu yn gorwedd ar wely o wair, yn union fel y dywedodd yr angylion wrthyn nhw. Dywedodd y bugeiliaid wrth Mair a Joseff am neges yr angylion.

Roedd y bugeiliaid wedi cyffroi gymaint, roedden nhw'n adrodd y newyddion da wrth bawb a ddeuai ar eu traws, "Mae Mab Duw wedi'i eni!"

Luc 2:7–21

Simeon ac Anna

Babi bach oedd Iesu pan aeth Mair a Joseff ag ef i'r Deml. (Adeilad mawr oedd y Deml, lle roedd pobl yn mynd i addoli Duw – lle tebyg iawn i gapel.) Roedd Mair a Joseff am ddiolch i Dduw am eu babi bach hyfryd.

Yn y Deml, gwelodd dyn o'r enw Simeon nhw'n dod. Roedd Simeon yn gwybod yn syth mai Mab arbennig Duw oedd Iesu. Gafaelodd Simeon yn y baban Iesu yn ei freichiau gan weiddi a chanu diolch i Dduw.

Yna, daeth hen, hen wraig i mewn i'r Deml. Anna oedd ei henw. Gwelodd hi Mair a Joseff gyda'r baban Iesu. Roedd hi'n gwybod yn syth bod Iesu'n Fab arbennig i Dduw. Roedd hi mor hapus! Aeth o gwmpas y Deml yn sôn wrth bawb am Iesu.

Roedd Simeon ac Anna mor falch o weld y babi arbennig, sef Iesu, Mab Duw.

Luc 2:22–38

Neges i'r dynion doeth

Ymhell bell i ffwrdd o Fethlehem, roedd yna ddynion doeth.

Roedden nhw'n edrych ar y sêr.

"Edrycha ar y seren fawr ddisglair fyny fan'na," meddai un ohonyn nhw.

"Mae'n dweud wrthym ni fod brenin wedi'i eni," meddai un arall. "Dyna gyffrous! Beth am fynd i chwilio amdano."

Dewisodd y dynion doeth anrhegion arbennig i'w rhoi i'r brenin bychan. Yna, dyma gychwyn ar eu taith gan ddilyn y seren i balas y Brenin Herod. "Rydyn ni wedi dod i weld y babi arbennig," medden nhw wrtho.

"Pa fabi?" holodd y brenin.

"Y brenin newydd," atebodd y dynion doeth gyda'i gilydd.

"Ond fi yw'r unig frenin yma!" meddai Herod yn flin.

"Mae'n siŵr y dewch o hyd i'r babi rydych chi'n chwilio amdano ym Methlehem," meddai ymgynghorwyr y brenin. Roedden nhw'n iawn! Penliniodd y dynion doeth. Roedden nhw'n gwybod bod Iesu yn arbennig iawn. Dyma nhw'n cyflwyno'r anrhegion drud a ddaethant i'r Iesu – aur a phersawr drud.

Mathew 2:1–12

Iesu'r bachgen

Aeth Iesu a'i fam a'i dad, sef Mair a Joseff, i ddinas fawr Jerwsalem. Buon nhw'n aros yno am wythnos. Pan oedd hi'n amser mynd adref, cychwynnodd Mair a Joseff ar eu taith, gyda nifer o ffrindiau o'u pentref. Ar y ffordd adref, dyma nhw'n sylwi nad oedd Iesu gyda nhw!

Rhedodd Mair a Joseff yn ôl i Jerwsalem. Buon nhw'n chwilio am Iesu ym mhob twll a chornel o'r ddinas. Fe ddaethon nhw o hyd iddo o'r diwedd. Roedd yn y Deml, y man cyfarfod hardd lle byddai pobl yn mynd i addoli a chanu i Dduw. Roedd Iesu'n siarad gyda'r dynion clyfar a'r athrawon. Roedd Iesu'n fwy clyfar na nhw!

"O, Iesu!" meddai Mair. "Rydyn ni wedi bod yn poeni amdanat!"

"Tŷ Duw yw hwn, tŷ fy Nhad," meddai Iesu. "Rydw i wedi bod yma yr holl amser."

Yna, aeth pawb adref gyda'i gilydd. A chofiodd Mair yr hyn a ddywedodd Iesu.

Luc 2:41–51

Ioan yn bedyddio Iesu

Galwodd Ioan ar yr holl bobl, "Paratowch! Paratowch! Mae rhywun arbennig yn dod!"

"Pwy sy'n dod?" holodd y bobl.

"Mae rhywun arbennig yn dod oddi wrth Dduw," atebodd Ioan.

"Sut ddylen ni baratoi?" holodd y bobl.

"Ymddiheurwch am y pethau drwg a wnaethoch," dywedodd Ioan wrthyn nhw. "A dewch at yr afon er mwyn cael eich bedyddio."

Un diwrnod, gwelodd Ioan fod Iesu'n dod tuag ato. Roedd yn gwybod ar unwaith fod Duw wedi anfon y person arbennig hwnnw roedd wedi'i addo. Ac Iesu oedd hwnnw!

"Bedyddia fi!" meddai Iesu wrth Ioan.

"Ond Un arbennig Duw wyt ti," meddai Ioan. "Fedra i mo dy fedyddio di."

"Dyna y mae Duw ei eisiau," dywedodd Iesu wrtho.

Felly, aeth Ioan ati i fedyddio Iesu. Yna, digwyddodd dau beth pwysig. Ymddangosodd aderyn gwyn hardd ac aeth i orffwys ar Iesu, i ddangos bod yr Ysbryd Glân yno i helpu Iesu. Yna, clywyd llais tyner Duw yn dweud, "Iesu yw fy Mab, ac rwy'n falch iawn ohono."

Mathew 3:13–17

Iesu yn yr anialwch

 Aeth Iesu i'r anialwch.

Roedd am fod ar ei ben ei hun, fel y gallai feddwl am y gwaith roedd Duw am iddo ei wneud.

Credai fod llais yn siarad ag e, yn dweud: "Mae Duw wedi rhoi pŵer i ti. Tro'r cerrig yn fara rhag i ti lwgu."

Dywedodd Iesu, "Na, rydw i am wneud pethau yn ffordd Duw. Mae hynny'n bwysicach na bwyd!"

Dywedodd y llais, "Neidia oddi ar dŵr uchaf y deml. Bydd angylion Duw yn dy achub di. Bydd pawb yn gwrando arnat ti wedyn!"

Rydw i am wneud pethau yn ffordd Duw. Dydy Duw ddim am i mi ddangos fy hun," meddai Iesu.

Clywodd y llais unwaith eto. "Edrycha o dy gwmpas. Gallet fod yn frenin ar bopeth."

Dywedodd Iesu, "Rydw i am wneud pethau yn ffordd Duw. Duw yw gwir frenin yr holl fyd."

Roedd Iesu'n gwybod erbyn hyn ei fod yn barod i wneud y gwaith roedd Duw am iddo ei wneud. A byddai'n ei wneud yn ffordd Duw.

Luc 4:1–13

Newyddion da yn y Beibl

Yn Nasareth, lle magwyd Iesu, byddai pawb yn mynd i'r synagog bob wythnos i addoli Duw. Bob wythnos, byddai rhywun yn agor llyfr Duw, y Beibl, ac yn ei ddarllen allan yn uchel. A bob wythnos, bydden nhw'n meddwl, "Pryd fydd Duw yn anfon rhywun atom i'n helpu?"

Un diwrnod, daeth Iesu'n ôl i Nasareth. Aeth i'r synagog i addoli Duw. A phan roddodd rhywun lyfr Duw iddo, darllenodd ef allan yn uchel: "Mae Ysbryd Duw gyda mi, oherwydd mae Duw wedi fy newis i. Byddaf yn rhoi

newyddion da i'r tlawd, yn rhyddhau carcharorion, yn gwneud i bobl ddall weld unwaith eto, a chael gwared â phoenau pobl."

"Ysgrifennwyd y geiriau yna amser maith yn ôl," meddyliodd pobl Nasareth. "Pryd fydd Duw'n anfon rhywun i'n helpu ni?"

Caeodd Iesu'r llyfr. "Heddiw," meddai, "mae neges Duw wedi dod yn wir. Clywsoch am Dduw yn anfon rhywun i'ch helpu chi, ac rydw i yma." Roedd pobl Nasareth wedi rhyfeddu! Roedden nhw wedi clywed am Iesu yn llyfr Duw.

Luc 4:16–21

Cyfarfod Iesu

Pysgotwyr oedd Pedr a'i frawd Andreas. Roedden nhw'n sefyll yn y dŵr, yn gafael mewn rhwyd. Pan oedd y pysgod yn nofio heibio iddynt, bydden nhw'n taflu'r rhwyd i'r dŵr ac yn dal y pysgod.

Un diwrnod, fe welson nhw ddyn yn cerdded ar hyd y traeth. Iesu oedd e.

"Dewch gyda mi," galwodd Iesu arnyn nhw. "Dewch i'm helpu i gyda fy ngwaith, yn lle pysgota."

Dyma Pedr ac Andreas yn stopio pysgota. Gadawson nhw'r rhwydi ar y traeth a mynd gyda Iesu.

Ychydig ymhellach ar hyd glan y môr, roedd Iago ac Ioan yn paratoi i fynd i bysgota yn eu cwch. "Dewch gyda mi," galwodd Iesu arnyn nhw. "Dewch i'm helpu i gyda fy ngwaith, yn lle pysgota."

Gadawodd Iago ac Ioan eu cwch. Aethon nhw gyda Iesu hefyd.

Roedd Pedr, Andreas, Iago ac Ioan yn hapus iawn eu bod wedi cyfarfod â Iesu.

Marc 1:16–20

Iesu'n mynd i briodas

Dyna barti gwych! Roedd y briodas wedi gorffen, a theulu a ffrindiau'r briodferch a'r priodfab yn mwynhau bwyd a gwin y parti. Roedd Iesu a'i fam, Mair, yno hefyd.

Roedd Mair yn gwylio popeth. Gwelodd jygiau o win yn cael eu harllwys. Gwelodd fod y gweision yn edrych yn bryderus. "Iesu," meddai, "mae'r gwin wedi dod i ben." Roedd Mair yn gwybod y byddai Iesu'n helpu.

Gwelodd Iesu chwe jwg garreg yn sefyll yn erbyn y wal. Dywedodd wrth y gweision, "Llenwch y jygiau yna â dŵr." Yna meddai, "Nawr, ewch ag ychydig o ddŵr a'i roi i'r dyn sydd yng ngofal pethau."

Felly, llanwyd y jygiau â dŵr ac aethant ag ychydig o ddŵr i'r trefnydd. "Blasus iawn!" meddai. "Dyna'r gwin gorau imi ei flasu erioed!"

Roedd Iesu wedi troi'r dŵr yn win! Doedd yr un person cyffredin yn gallu gwneud hynny! Ond roedd Iesu'n gallu, gan mai ef yw Mab Duw.

Ioan 2:1–11

Yn nhŷ Pedr

Un diwrnod, aeth Iesu i dŷ Pedr, ei ffrind.

Roedd gwraig Pedr yn poeni.

"Mae fy mam yn sâl," meddai. "Mae ei phen yn teimlo'n boeth a does arni ddim awydd bwyd."

Aeth â Iesu i'r ystafell lle roedd ei mam yn gorwedd yn y gwely. Edrychodd Iesu ar y wraig a gafael yn dyner yn ei llaw. Agorodd y wraig ei llygaid a gwenu. Roedd hi'n teimlo'n llawer gwell. Roedd Iesu wedi'i gwella hi. Cododd o'r gwely ac aeth i'r gegin. "Rydw i am goginio pryd o fwyd blasus i ni i gyd," meddai wrth Iesu. "Diolch am fy ngwella i."

Y noson honno, daeth llawer o bobl eraill i weld Iesu. Roedden nhw wedi clywed ei fod yn gallu iacháu pobl. Roedden nhw i gyd am i Iesu eu helpu nhw.

Marc 1:29–34

Iesu'n siarad â Duw

Roedd hi'n gynnar yn y bore,

Pan ddeffrodd Iesu rhyw ddydd.

Roedd hi'n dywyll, a'r dydd yn dal i wawrio,

Ond cododd a gwisgo, beth bynnag.

Gadawodd Iesu'r tŷ yn dawel,

A mynd am dro.

Edrychodd am lecyn tawel,

Lle y gallai ef a'i Dad siarad.

Siaradodd Iesu gyda'i Dad yn y nefoedd,

A gwrando ar eiriau Duw.

Roedd yn falch ei fod wedi codi mor gynnar,

I fod gyda'i Dad a gweddïo.

Marc 1:35–37; Mathew 6:5–7

Dyn yn dioddef o'r gwahanglwyf

Daeth dyn oedd yn dioddef o'r gwahanglwyf i weld Iesu.

"Rydw i'n gwybod dy fod ti'n gallu gwella pobl sâl," meddai'r dyn. "Plîs wnei di fy helpu i?"

Teimlai Iesu'n drist dros y dyn. Roedd yn gwybod na allai pobl â'r gwahanglwyf fyw gyda'u teuluoedd na mynd i weithio. Doedd neb eisiau bod yn agos atyn nhw rhag ofn iddyn nhw ddal yr afiechyd hefyd.

Cyffyrddodd Iesu yn dyner yn y dyn. "Fe fydda i'n dy wneud yn well," meddai wrtho. Yn syth, roedd croen y dyn wedi'i iacháu.

"Dos i ddangos i'r offeiriad dy fod yn iach. Yna, cei fynd adref," meddai Iesu wrtho. "Plîs, paid â dweud wrth neb arall beth sydd wedi digwydd."

Ond roedd y dyn wedi cyffroi gymaint, soniodd am y peth wrth bawb a welai. "Gofynnais i Iesu fy helpu, a gwnaeth fy nghroen yn berffaith unwaith eto," meddai. "Tydy Iesu'n arbennig?"

Marc 1:40–45

Ymwelydd fin nos

Roedd Nicodemus yn ddyn clyfar a phwysig iawn. Clywodd Nicodemus am Iesu a'r pethau roedd yn eu dysgu i bobl am Dduw. Roedd am wybod a oedd y pethau hyn yn wir ac am ofyn llawer o gwestiynau i Iesu.

Ond doedd pawb ddim yn hoffi Iesu. "Beth os bydd pobl yn fy ngweld i'n siarad â Iesu?" meddai Nicodemus. "Beth fyddan nhw'n ei feddwl?"

Cafodd Nicodemus syniad. Aeth i weld Iesu yn y dirgel un noson. "Fydd neb yn fy ngweld i yn y tywyllwch," meddyliodd.

"Rydw i'n gwybod fod Duw wedi dy anfon di," meddai Nicodemus wrth Iesu, "ac yn gwybod na fyddet ti'n gallu gwneud yr holl bethau arbennig hyn heb fod Duw gyda ti. Ond mae rhai pethau nad ydw i'n eu deall."

Dywedodd Iesu wrth Nicodemus faint y mae Duw yn caru pawb. "Mae angen i ti ddod yn rhan o deulu arbennig Duw," meddai. Yna, aeth Nicodemus adref. Roedd ganddo lawer i feddwl amdano.

Ioan 3:1–21

Dynes yn nôl dŵr

Roedd Iesu wedi blino. Roedd ef a'i ffrindiau wedi cerdded yn bell. Aeth ei ffrindiau i'r dref i brynu bwyd i ginio, ac eisteddodd Iesu ger ffynnon i orffwys. Daeth dynes i nôl ychydig o ddŵr. "Plîs ga i ddiod o ddŵr?" holodd Iesu. "Rydw i'n sychedig."

Roedd y ddynes wedi synnu. "Dyw pobl o dy wlad di ddim yn siarad â phobl o'r wlad hon fel arfer," meddai.

"Dwyt ti ddim yn gwybod pwy ydw i," meddai Iesu wrthi. "Fel arall, byddet yn gofyn i mi am help. Gallaf roi rhywbeth llawer mwy gwerthfawr na dŵr i ti."

Dechreuodd Iesu a'r ddynes siarad. Doedd Iesu erioed wedi cyfarfod â hi o'r blaen, ond roedd yn gwybod llawer amdani. "Mae Iesu'n rhyfeddol," meddai'r ddynes.

Gosododd ei jwg o ddŵr ar lawr a rhedodd i ddweud wrth ei ffrindiau, "Dewch i gyfarfod Iesu. Mae'n gwybod popeth amdana i."

Ioan 4:3–30

Dyn mewn angen

Aeth dyn pwysig i weld Iesu. Roedd y dyn yn drist iawn. "Plîs helpa fi," meddai wrth Iesu. "Mae fy mab yn sâl iawn. Dydw i ddim eisiau iddo farw. Plîs, ddoi di i'w wella?"

"Paid â phoeni. Wnaiff dy fab di ddim marw," meddai Iesu wrth y dyn. "Dos adref i'w weld." Dechreuodd y dyn gerdded tuag adref. Roedd yn daith bell.

Ond cyn i'r dyn gyrraedd ei gartref, gwelodd rai o'i weision yn rhedeg tuag ato. "Mae eich mab yn well!" medden nhw gan wenu.

"Pryd ddigwyddodd hyn?" holodd y dyn.

"Amser cinio ddoe," meddai'r gwas. "Yn sydyn, roedd eich mab yn well unwaith eto."

"Dyna'r union adeg y gofynnais i Iesu fy helpu i," dywedodd y dyn pwysig wrthyn nhw. "Addawodd Iesu y byddai fy mab yn gwella. Nawr, rwy'n credu fod Iesu'n arbennig. Mae ganddo'r pŵer i helpu pobl."

Ioan 4:43–54

Dyn wrth ymyl y pwll

Yn ninas fawr Jerwsalem, roedd yna bwll arbennig. Byddai llawer o bobl sâl, pobl ddall, a phobl nad oedd yn gallu cerdded, yn gorweddian o amgylch y pwll yn aros. Roedden nhw'n meddwl, unwaith y byddai'r dŵr yn dechrau llenwi â swigod, y byddai'r person cyntaf i fynd i'r dŵr yn gwella. Felly, bob dydd, roedden nhw'n aros ... ac yn aros ... ac yn gwylio'r dŵr yn ofalus.

Un diwrnod, aeth Iesu i'r pwll. Gwelodd ddyn yno oedd wedi bod yn sâl ers amser hir iawn. Doedd y dyn ddim yn gallu cerdded, na chwifio'i freichiau, nac ysgwyd ei fodiau. "Wyt ti eisiau gwella?" gofynnodd Iesu iddo.

"Wrth gwrs fy mod i," atebodd y dyn, "ond does gen i neb i fy helpu i fynd i mewn i'r pwll pan fydd y dŵr yn llenwi â swigod. Felly, mae rhywun arall yn cyrraedd yno o fy mlaen i bob tro."

"Cod dy flanced a cherdda," meddai Iesu wrtho. A dyna wnaeth y dyn!

Ioan 5:1–17

Iesu'n gwella dyn

Un tro roedd yna ddyn nad oedd yn iach iawn. Roedd ganddo salwch oedd yn gwneud ei groen yn sbotlyd ac yn sych. Doedd neb am fynd yn agos ato rhag ofn iddyn nhw fynd yn sâl hefyd. Roedd y dyn yn gwybod y byddai'n sâl am byth, felly roedd yn drist ac yn unig.

Clywodd y dyn fod Iesu'n gallu gwella pobl. Aeth i weld Iesu. "Plîs, Iesu," meddai, "fedri di fy ngwneud i'n well?"

Gwyddai Iesu fod y dyn yn sâl a'i fod yn drist a heb ddim ffrindiau. "Gallaf, wrth gwrs," meddai Iesu. "Edrych, rwyt ti'n well yn barod."

Roedd y dyn yn well! Roedd ei groen yn lân ac yn llyfn. Dyna hapus oedd y dyn! Roedd Iesu wedi'i wella.

Mathew 8:1–4

Iesu'n helpu milwr

Mae'r milwr yn poeni'n fawr.

Dydy ei was ddim yn dda o gwbwl. Mae yn ei wely ac mae'n sâl iawn.

Mae'r milwr yn penderfynu mynd at Iesu. "Bydd Iesu'n helpu," meddai.

Felly, aeth i chwilio am Iesu.

"Iesu, mae fy ngwas yn sâl," meddai. "A wnei di ei wella?"

"Wrth gwrs," meddai Iesu. "Dof ato'n syth."

"Na, does dim angen i ti ddod," atebodd y milwr. "Dwed y gair a bydd fy ngwas yn well. Rwy'n gwybod dy fod yn gallu gwneud hynny."

Mae Iesu'n falch iawn fod gan y milwr gymaint o ffydd ynddo. Mae Iesu'n gwella'r gwas yn syth.

"Roeddwn i'n gwybod y gallai Iesu helpu," meddai'r milwr wrtho.

Mae'r milwr yn iawn! Bydd Iesu'n helpu unrhyw un sy'n gofyn iddo am help.

Mathew 8:5–13

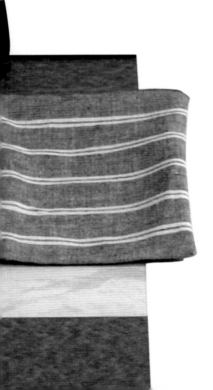

Iesu'r arweinydd

Roedd Iesu'n gwneud llawer o bethau arbennig, ond roedd cymaint o waith ychwanegol i'w wneud. Felly, penderfynodd Iesu fod arno angen ffrindiau arbennig i'w helpu.

Dewisodd 12 ffrind i'w helpu gyda'i waith pwysig.

Dewisodd 12 person hollol wahanol i'w gilydd.

Roedd yna bysgotwyr, fel Andreas a Simon Pedr. A phobl glyfar fel Philip a Bartholomeus.

Casglu arian oedd gwaith Thomas a Mathew.

Roedd yno ddau frawd, sef Iago ac Ioan.

Roedd Iago
arall hefyd a
Simon arall. A dau ffrind arall o'r
enw Jwdas a Thadeus.

Roedd y 12 ffrind arbennig yn helpu
Iesu gyda'i waith ac yn sôn wrth bawb
am Dduw.

Roedd Iesu'n hapus iawn fod ganddo
12 ffrind. Ac roedden nhw'n hapus
iawn i fod yn ffrindiau gyda Iesu.

Mathew 10:1–4

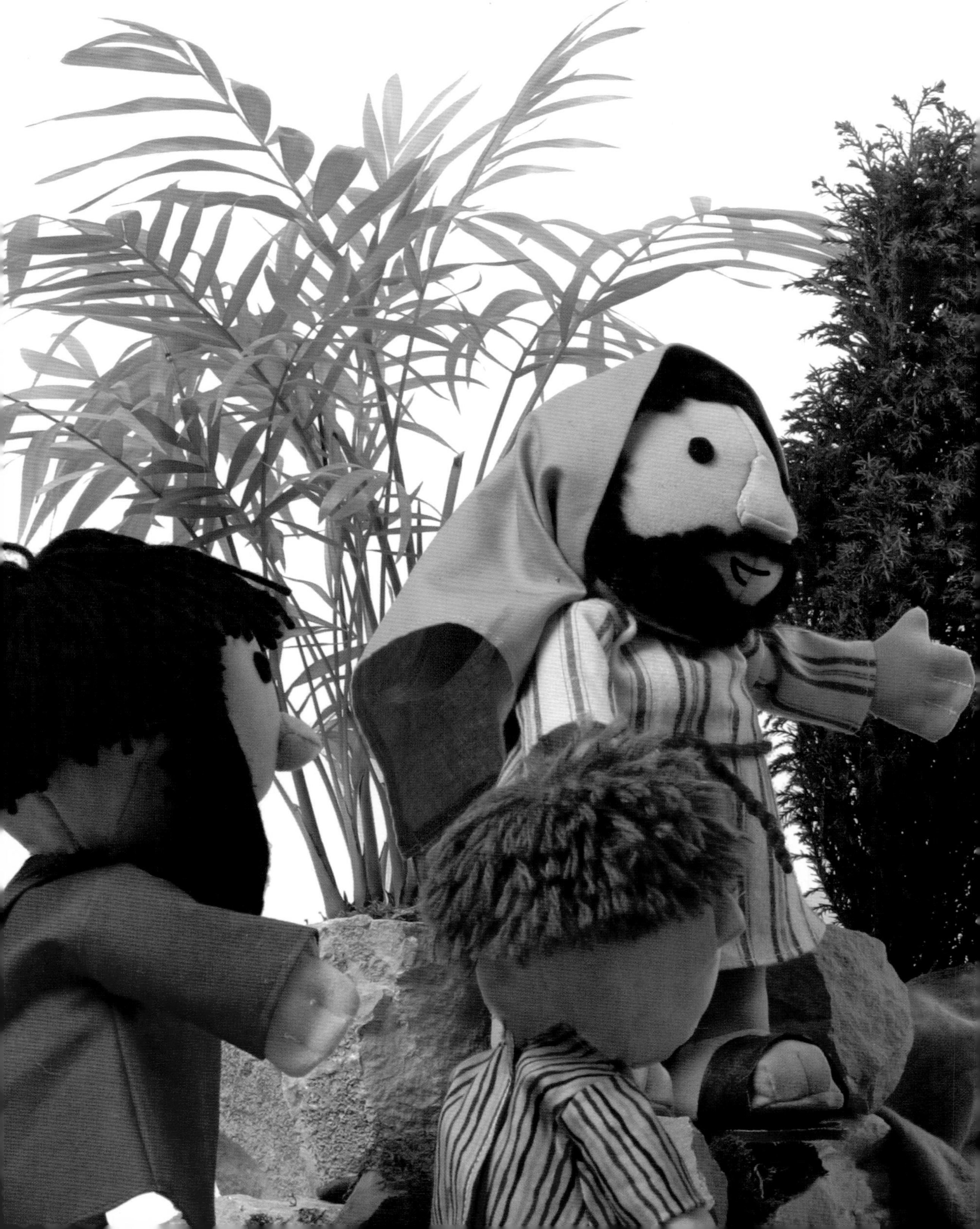

Iesu'r storïwr

Roedd pawb wrth eu boddau'n gwrando ar storïau arbennig Iesu.

Un diwrnod, adroddodd stori am ddau adeiladwr.

Roedd yr adeiladwr cyntaf am adeiladu tŷ. Daeth o hyd i graig gadarn a dweud, "Dyma'r man lle byddaf yn adeiladu fy nhŷ." A dyna a wnaeth.

Pan oedd y tŷ'n barod, dyma hi'n dechrau bwrw glaw. Roedd hi'n glawio ac yn glawio. Chwythodd y gwynt yn gryf. Ond ni symudodd y tŷ. Roedd yn saff ac yn gadarn. Yn union fel y bobl sy'n gwrando'n ofalus ar yr hyn mae Duw yn ei ddweud.

Roedd yr ail adeiladwr am adeiladu tŷ hefyd. Daeth o hyd i draeth tywodlyd a dweud, "Dyma'r man lle byddaf yn adeiladu fy nhŷ." A dyna a wnaeth.

Pan oedd y tŷ'n barod, dyma hi'n dechrau bwrw glaw. Roedd hi'n glawio ac yn glawio. Chwythodd y gwynt yn gryf.

A wyddoch chi beth ddigwyddodd?

Disgynnodd y tŷ i'r llawr!

Mathew 7:24–27

Iesu'n helpu gwraig

Un diwrnod, aeth Iesu a'i ffrindiau i dref o'r enw Nain. Fe welson nhw fod rhywbeth trist iawn wedi digwydd yno. Roedd bachgen bach wedi marw ac roedd pawb yn crio, yn enwedig ei fam. Y bachgen oedd yr unig fab oedd ganddi.

Roedd Iesu'n poeni'n arw am y fam. Roedd am ei helpu hi. "Paid â chrio," meddai Iesu wrthi.

Yna, yn ofalus, cyffyrddodd Iesu â'r gwely roedd y bachgen a fu farw'n gorwedd arno. "Fachgen bach, coda," meddai.

Dyma'r bachgen yn rhwbio'i lygaid, yn ymestyn ei freichiau allan ac yn eistedd i fyny yn y gwely. Dechreuodd siarad. Roedd yn fyw! Syllodd pawb mewn syndod. "Waw! Welsoch chi hynna?" medden nhw wrth ei gilydd. "Duw wnaeth hynna. Mae Iesu'n anhygoel!"

Gafaelodd y bachgen bach a'i fam yn dynn yn ei gilydd, gan chwerthin a chrio bob yn ail. Roedden nhw mor hapus eu bod gyda'i gilydd unwaith eto.

Luc 7:11–17

Dynes ac anrheg ganddi

Cyrhaeddodd Iesu dŷ Simon, yn teimlo'n llwglyd a blinedig. Chafodd e ddim llawer o groeso gan Simon. Wnaeth Simon ddim gofyn i'w weision olchi traed llychlyd Iesu. Ond gwahoddodd Iesu i eistedd wrth y bwrdd a rhoddodd ychydig o fwyd iddo.

Tra oedden nhw'n bwyta, daeth dynes i mewn yn cario jar o bersawr arbennig. Eisteddodd ar y llawr wrth ymyl Iesu. Roedd hi'n meddwl am y pethau drwg roedd hi wedi'u gwneud, a sut roedd Iesu'n ei charu ac yn maddau iddi. Dyma hi'n dechrau crio. Wrth i'w dagrau ddisgyn, golchodd draed llychlyd Iesu ac yna eu sychu gyda'i gwallt hir. Tywalltodd ei phersawr arbennig yn ofalus ar draed Iesu.

Roedd Simon yn drist. "Dwyt ti ddim yn gwybod pa mor ddrwg yw'r ddynes yma?" gofynnodd.

Dywedodd Iesu, "Simon, pan gyrhaeddais yma, wnest ti mo 'nghroesawu i na golchi fy nhraed. Mae'r ddynes hon wedi rhoi anrheg arbennig i mi. Mae hi wedi dangos faint mae hi'n fy ngharu i."

Luc 7:36–50

Stori'r hadau

 Dyma stori a adroddwyd gan Iesu.

Cerddai rhyw ffermwr yn ôl ac ymlaen ar hyd y cae.

Taflodd hadau i un ochr a hadau i'r ochr arall. Disgynnodd rhai hadau ar hyd y llwybr lle roedd y pridd yn galed. Ar unwaith, hedfanodd yr adar yn isel a bwyta'r hadau.

Heuodd y ffermwr fwy o hadau. Dyma nhw'n disgyn ar dir caregog. Dydd ar ôl dydd, roedden nhw'n dechrau tyfu. Ond am ei bod hi mor boeth a sych ar y tir caregog, bu'r planhigion farw.

Aeth y ffermwr ati i hau mwy o hadau. Dyma nhw'n disgyn ymysg chwyn tal oedd y tyfu ar gyrion y cae. Dydd ar ôl dydd, tyfodd yr hadau, ond tyfodd y chwyn yn gynt na'r planhigion newydd. Doedd y planhigion newydd ddim yn cael digon o olau'r haul, felly buon nhw farw.

Heuodd y ffermwr ychydig yn rhagor. Disgynnodd yr hadau hyn ar y pridd da lle roedd digon o olau haul a dŵr. Tyfodd yr hadau'n blanhigion cryf ac iach – ac roedd y ffermwr wrth ei fodd.

Marc 4:1–9

Plannu a thyfu

Dyma stori a adroddwyd gan Iesu.

Un tro roedd yna ffermwr. Roedd yn tyfu planhigion i'w troi'n fwyd.

Un diwrnod, heuodd hadau gwenith mewn cae. Y noson honno, a phob noson arall, aeth i'w wely a chysgu'n dawel. Y diwrnod wedyn, a phob dydd arall, byddai'n codi ac yn gweithio eto.

Roedd yna bridd da yn y cae lle roedd yr hadau, ac yn fuan iawn, dyma goesau gwyrdd yn dechrau ymddangos. Weithiau byddai hi'n glawio, ac ar adegau eraill byddai'n haul poeth. Tyfodd y planhigion yn fwy ac yn fwy. Dechreuon nhw newid o fod yn lliw gwyrdd i fod yn lliw brown-euraid.

Aeth y ffermwr i weld sut oedd y planhigion yn dod yn eu blaenau. "Mae'n amser cynaeafu," meddai'r ffermwr. Torrodd yr holl wenith i lawr er mwyn gallu gwneud blawd ohono.

"Mae hyn yn arbennig!" meddai'r ffermwr prysur. "Fi sydd wedi hau'r hedyn a chynaeafu'r gwenith, ond nid fi wnaeth i'r planhigion dyfu. Sut digwyddodd hynny?"

Marc 4:26–29

Trysor wedi'i guddio

"Roedd dyn yn cloddio mewn cae …" dechreuodd Iesu.

"Stori!" meddai ei ffrindiau. "Rydyn ni wrth ein bodd yn gwrando ar storïau Iesu."

"Roedd y dyn yn cloddio'n ddyfnach ac yn ddyfnach," aeth Iesu yn ei flaen. "Tarodd ei raw rywbeth caled. 'Beth ydy hwn?' meddyliodd y dyn. Aeth i lawr ar ei bengliniau ac edrych i mewn i'r twll.

"Gwelodd rywbeth disglair. Cloddiodd gyda'i ddwylo a thynnu … trysor allan! Daliodd ef i fyny fel bod yr haul yn disgleirio ar yr aur. Sychodd ef a theimlo oerni'r metel disglair. 'Byddwn i wrth fy modd petai gen i drysor fel hyn,' meddyliodd.

"Yna, cafodd syniad. Cuddiodd y trysor yn y cae unwaith eto ac aeth adref. Gwerthodd bopeth oedd ganddo am arian. Yna, aeth â'r arian a phrynu'r cae gan y perchennog.

"Roedd yn hapus iawn. 'Fy nhrysor i yw hwn nawr!' meddai."

Mathew 13:44

Perl hardd

"Yn y farchnad, roedd yna ddyn yn chwilio am berlau i'w prynu ..." dechreuodd Iesu.

"Stori!" meddai ei ffrindiau. "Rydyn ni wrth ein bodd yn gwrando ar storïau Iesu."

"Daeth o hyd i lawer o berlau bychain gwyn, hardd i wneud mwclis, breichled a broets ohonynt," aeth Iesu yn ei flaen.

'Mae'r rhain yn hardd,' meddyliodd y dyn, gan ddal ychydig ohonyn nhw yn ei law, 'ond rydw i wedi gweld rhai eraill, llawn cystal â nhw, hefyd.'

"Yna, gwelodd rywbeth a wnaeth iddo ochneidio mewn syndod – perl mor arbennig, mor berffaith grwn a disglair, fel y gollyngodd y lleill i gyd. Gofynnodd faint oedd ei bris. Yna, teimlai'n drist. Doedd ganddo ddim digon o arian i brynu'r perl perffaith – oni bai ei fod yn gwerthu ei gartref, ei ddillad a'i eiddo i gyd.

"Aeth adref ar frys. Gwerthodd bopeth oedd ganddo a rhedeg yn ôl i'r farchnad gyda'r arian. Roedd y perl yn dal i fod ar y stondin yn y farchnad. Cododd ef yn ei law a thalu amdano.

"Fe oedd biau'r perl hardd nawr!"

Mathew 13:45–46

Iesu'n tawelu'r storm

7 "Beth am i ni fynd i hwylio yn y cwch?" meddai Iesu wrth ei ffrindiau. Roedd y dŵr yn llonydd. Dyma nhw'n gwthio'r cwch o'r lan. Roedd y dŵr yn dawel.

Dechreuodd ei ffrindiau rwyfo. Syrthiodd Iesu i gysgu.

Daeth cymylau mawr du i lenwi'r awyr. Roedd Iesu'n cysgu.

Dechreuodd y gwynt chwythu. Cododd y tonnau'n uwch. Roedd Iesu'n cysgu.

Cynyddodd y storm. Fflachiodd y mellt. Roedd Iesu'n cysgu.

Rhuodd y taranau. Roedd y ffrindiau'n ofnus. Roedd Iesu'n dal i gysgu.

Dyma nhw'n gweiddi, "Deffra, Iesu!" Deffrodd Iesu.

Roedd y cwch yn siglo. Safodd Iesu ar ei draed.

Roedd y storm yn swnllyd. Siaradodd Iesu. "Bydd ddistaw," meddai. Tawelodd y gwynt.

"Byddwch lonydd," meddai Iesu. Arafodd y tonnau.

Stopiodd y storm.

Dywedodd Iesu wrth ei ffrindiau, "Peidiwch â bod ofn. Rydych chi'n saff gyda mi."

Yna, roedden nhw'n gwybod bod Iesu'n berson arbennig iawn. Gallai stopio'r storm ffyrnicaf. Roedd Iesu'n gallu gwneud pethau na allai unrhyw berson arall eu gwneud!

Mathew 8:23–27

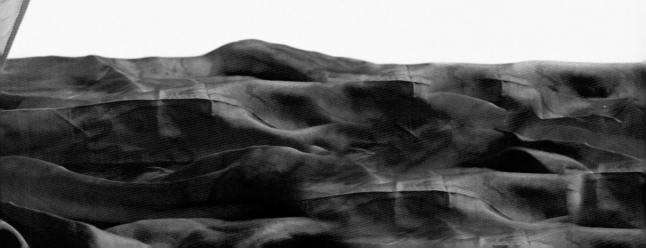

Jairus a'i ferch

Aeth Jairus i chwilio am Iesu. "Mae fy merch yn marw," meddai Jairus.

"Plîs, wnei di ddod i'w gwella hi?"

"Wrth gwrs," atebodd Iesu.

Roedd llawer o bobl yn eu dilyn wrth iddyn nhw fynd i dŷ Jairus. Roedd pawb am weld Iesu. Ac roedd hi'n mynd yn hwyr erbyn hyn. A fyddai Iesu'n cyrraedd mewn pryd i helpu merch fach Jairus?

Rhedodd dynion atyn nhw. "Mae'n rhy hwyr," medden nhw wrth Jairus. "Mae dy ferch wedi marw." Roedd pawb yn y tŷ yn crio.

"Paid â phoeni," meddai Iesu. "Dim ond cysgu mae dy ferch di."

Gafaelodd Iesu yn llaw y ferch a dweud, "Cod ar dy draed, ferch fach." A dyna wnaeth hi.

Roedd pawb wedi rhyfeddu wrth weld merch Jairus yn cerdded ac yn rhedeg o gwmpas y lle. Roedd Iesu'n gwneud rhywbeth na allai unrhyw berson arall ei wneud. Roedd wedi gwneud y ferch yn iach unwaith eto.

"Rwy'n meddwl," meddai Iesu, gan wenu ar ei mam a'i thad, "y byddai eich merch fach yn hoffi rhywbeth i'w fwyta nawr."

Marc 5:21–43

Bara i bawb

"Iesu, edrych ar yr holl bobl sy'n dod," meddai Philip. Roedd criw mawr o ddynion, gwragedd a phlant ar eu ffordd i weld Iesu.

"Byddan nhw'n llwglyd ar ôl eu taith yma," meddai Iesu. "Sut gawn ni ddigon o fwyd i fwydo pawb?"

"Does dim digon o arian gennym ni," meddai Philip.

"Ond mae gennym ni ychydig o fwyd," meddai Andreas. "Mae 'na fachgen bach yma ac mae ganddo bum torth a dau bysgodyn."

Doedd picnic un bachgen bach ddim yn mynd i fwydo'r holl bobl, ond roedd Iesu'n gwybod beth oedd angen ei wneud!

Dywedodd wrth y bobl am eistedd i lawr. Cymerodd Iesu y pum torth a'r ddau bysgodyn a dweud "Diolch" wrth Dduw. Yna, pasiodd y bwyd o gwmpas y dyrfa. Ac roedd gan bawb ddigon i'w fwyta!

"Waw!" meddai Philip.

"Waw!" meddai Andreas.

"Mmm!" meddai'r holl bobl. "Roedden ni bron â llwgu. Mae Iesu wedi ein helpu ni pan oedden ni wir angen bwyd."

Ioan 6:1–15

Dŵr yn rhoi bywyd

Roedd pawb yn Jerwsalem yn meddwl am Iesu. "Pwy ydy Iesu?" roedden nhw'n holi. Meddai rhai pobl, "Mae'n ddyn da." Ac meddai eraill, "Mae'n dweud celwyddau."

Yna, daeth Iesu a dweud wrthyn nhw, "Rydw i'n dweud y gwir, yn union fel y mae Duw am i mi wneud."

Ond roedd y bobl yn dal i gweryla. Roedden nhw'n cofio'r holl bethau da a wnaeth Iesu. "Troi dŵr yn win," medden nhw. "Rhoi bara i bobl oedd yn llwglyd iawn. Gwneud i ddyn dall allu gweld unwaith eto."

Dywedodd eraill, "Dydy e'n dda i ddim. Beth am gael gwared ohono?"

Roedd Iesu'n gwybod am yr holl bethau roedden nhw'n eu dweud. Roedd yn gwybod bod pawb eisiau gwybod mwy am Dduw. Safodd ar ei draed a gweiddi fel bod pawb yn clywed. "Ydych chi'n ysu am gael 'nabod Duw? Yna, dewch ata i. Pan ydych chi'n yfed dŵr, mae'n rhoi bywyd i chi. Pan ydych chi'n credu ynof i, bydd gennych fywyd am byth."

Roedd y bobl wedi rhyfeddu. Roedden nhw'n dechrau deall pwy oedd Iesu – yr un a allai roi bywyd am byth iddyn nhw.

Ioan 7:10–39

"Fi yw'r goleuni"

I'r dyn a eisteddai ar ochr y ffordd, roedd popeth bob amser yn dywyll. Roedd yn ddall. Doedd e ddim wedi gweld yr haul na'r awyr erioed.

Yna, cyfarfu â Iesu. Ni allai'r dyn dall weld Iesu, ond gallai glywed ei lais. Roedd yn siarad â phobl eraill ar y pryd. Dywedodd Iesu, "Fi yw goleuni'r byd."

Ond nid siarad yn unig a wnaeth Iesu. Poerodd ar y llawr a gwneud past mwdlyd gyda'r pridd. Yn ysgafn, ysgafn, rhwbiodd ef ar wyneb y dyn dall. "Dos i ymolchi yn y pwll acw," meddai Iesu.

Cododd y dyn dall. Doedd e ddim yn gallu gweld, ond roedd yn gwybod sut i fynd at y pwll. Plygodd i lawr a gwlychu ei ddwylo yn y dŵr. Golchodd y mwd oddi ar ei wyneb a sylweddoli … ei fod yn gallu gweld!

Gallai weld yr haul. Gallai weld yr awyr. Gallai weld pobl eraill. Gallai weld Iesu hefyd! Nawr ei fod wedi cyfarfod Iesu, roedd yn ei 'nabod ac yn ei garu.

Ioan 8:12; 9:1–12, 35–38

Mae Iesu'n arbennig

Roedd Iesu wedi cael diwrnod prysur iawn. Roedd angen iddo fod yn dawel, felly aeth i weddïo. Cychwynnodd ei ffrindiau ar draws y llyn yn eu cwch pysgota bychan.

Wrth iddyn nhw gyrraedd canol y llyn, dyma'r gwynt yn dechrau rhuo o amgylch y cwch. Siglodd y cwch bychan ar y dŵr. Chwythodd y gwynt yn gryfach ac yn gryfach. Roedd ffrindiau Iesu'n ofnus. Roedden nhw'n ceisio rhwyfo'r cwch, ond roedd y gwynt yn llawer rhy gryf.

Yn sydyn, fe welson nhw rywbeth rhyfedd. Roedd dyn yn cerdded ar y dŵr! Roedden nhw'n ofnus iawn erbyn hyn!

"Peidiwch â bod ofn," meddai'r dyn. Iesu oedd e! Dringodd i'r cwch a dweud wrth y gwynt am fod yn llonydd. A dyna ddigwyddodd.

Roedd ffrindiau Iesu'n gallu gweld person mor arbennig oedd e.

Marc 6:45–52

Gwraig anghenus

"Mae fy merch fach i'n sâl iawn," meddai'r wraig. "Ond rwy'n gwybod y bydd Iesu'n fodlon helpu." Dywedodd ei ffrindiau, "Wnaiff Iesu ddim helpu. Dyw e ddim yn dod o'r wlad hon. Pam ddylai e ein helpu ni?"

Ond penderfynodd y wraig holi beth bynnag. "Iesu!" gwaeddodd pan welodd hi ef. "Plîs, helpa fi! Mae fy merch fach i mor sâl."

Ni ddywedodd Iesu yr un gair. Felly, dyma hi'n ei ddilyn. Roedd hi'n gwybod y byddai Iesu'n helpu. Ceisiodd ffrindiau Iesu ei hanfon oddi yno, ond brwydrodd ymlaen. Dywedodd Iesu, "Dwyt ti ddim yn dod o'r un wlad â fi. Mae gen i lawer o bobl eraill yn fy ngwlad fy hun i'w helpu."

Penliniodd y wraig ac ymbil ar Iesu: "Plîs helpa fi. Mae fy merch fach i'n sâl iawn."

Gwenodd Iesu, "Rwyt ti'n credu y galla i dy helpu di, yn dwyt ti? Paid â phoeni; bydd dy ferch fach yn gwella."

A'r foment honno, roedd y ferch fach yn well – a hynny am fod y wraig yn siŵr fod Iesu'n gallu ei helpu.

Mathew 15:21–28

Iesu'n bwydo llawer o bobl

Daeth llawer o bobl i weld Iesu. Daethon nhw i glywed y storïau roedd Iesu'n eu hadrodd. Daethon nhw i weld Iesu'n gwella pobl sâl.

Roedd pawb wrth eu boddau pan oedden nhw gyda Iesu. Doedd neb eisiau mynd adref. Roedden nhw'n aros yno am ddiwrnod, dau ddiwrnod, tri diwrnod. Yn fuan, roedden nhw wedi bwyta'r holl fwyd oedd ganddyn nhw. Ac yn fuan wedi hynny, roedden nhw'n llwglyd iawn!

Roedd Iesu'n gofalu am bobl ac yn gwybod eu bod angen bwyd i'w fwyta. Roedd gan ffrindiau Iesu saith torth ac ychydig o bysgod.

Dywedodd Iesu "Diolch" wrth Dduw am y bara a'r pysgod. Yna, rhoddodd y bwyd i'r holl bobl! Llawer iawn o bobl!

A chafodd pawb rywbeth i'w fwyta. Doedd y bobl ddim yn credu'r peth.

Ond doedd ganddyn nhw ddim boliau gwag rhagor!

Roedd dim ond saith torth ac ychydig o bysgod wedi bwydo pawb – diolch i Iesu!

Mathew 15:32–39

Pedr yn 'nabod Iesu

Roedd Iesu gyda'i ffrindiau un diwrnod.

"Pwy mae pobl yn dweud ydw i?" holodd.

"Mae rhai pobl yn meddwl mai rhywun o amser maith yn ôl wyt ti, un o negeswyr Duw wedi dod i ddweud rhywbeth am Dduw wrthon ni," medden nhw.

"Beth amdanat ti?" holodd Iesu. "Pwy wyt ti'n meddwl ydw i?"

Meddyliodd Pedr am Iesu. Cofiodd fod Iesu wedi gwneud i ddynion dall weld unwaith eto, a gwneud i bobl na allai symud, gerdded eto. Roedd wedi gweld Iesu'n gwella pobl sâl a bwydo cannoedd o bobl gydag ychydig iawn o fara a physgod. Roedd Pedr wedi gweld Iesu'n gwneud pethau rhyfeddol. Clywodd Pedr Iesu'n dweud pethau arbennig am Dduw.

Yn sydyn, roedd Pedr yn gwybod yn iawn pwy oedd Iesu! Roedd Iesu'n ddyn da ac yn ffrind caredig, ond roedd yn fwy na hynny hefyd.

"Iesu, mab Duw wyt ti!" meddai Pedr.

Ac roedd yn iawn!

"Da iawn ti!" meddai Iesu.

Marc 8:27–30

Disgleiria, Iesu!

Dywedodd Iesu wrth Pedr, Iago ac Ioan, "Dewch gyda mi."

Dyma nhw'n dechrau dringo mynydd.

Roedd yn ffordd bell, ac erbyn iddyn nhw gyrraedd y copa roedd Pedr, Iago ac Ioan yn flinedig iawn.

Yn sydyn, gwelson nhw fod Iesu'n edrych yn wahanol! Doedd e ddim yn flinedig fel nhw. Roedd ei ddillad yn llachar ac yn ddisglair, nid yn llychlyd. Roedd hyd yn oed ei wyneb a'i ddwylo a'i draed yn disgleirio'n llachar.

Roedd Pedr, Iago ac Ioan wedi rhyfeddu at yr olygfa – ac yn teimlo braidd yn ofnus.

Dyma gwmwl yn dechrau cylchu'r mynydd uchel. Doedden nhw ddim yn gallu gweld unrhyw beth heblaw y cwmwl llachar, disglair. Fe glywson nhw lais: "Hwn yw fy mab. Rydw i'n ei garu'n fawr iawn. Gwnewch yr hyn y mae'n ei ddweud wrthych chi."

Llais Duw oedd e!

Symudodd y cwmwl i ffwrdd. Roedden nhw'n gallu gweld Iesu unwaith eto. Ac erbyn hyn, roedd Pedr, Iago ac Ioan yn sicr mai mab Duw oedd Iesu!

Marc 9:2–13

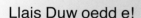

Iesu'n dweud stori

Byddai Iesu'n adrodd storïau'n aml.

Gallwch eu darllen nhw yn llyfr Duw, y Beibl.

"Un diwrnod," meddai Iesu, "cychwynnodd dyn ar ei daith i Jericho. Roedd yn daith hir a pheryglus. Ar y ffordd, dyma ladron yn ymosod arno a dwyn popeth oedd ganddo. Roedd y lladron wedi brifo'r dyn a'i adael yn gorwedd ar lawr. Yn fuan, daeth offeiriad heibio. 'O diar,' meddyliodd, 'mae'r dyn yna wedi brifo, ond mae gen i bethau pwysig i'w gwneud dros Dduw. Fedra i mo'i helpu.'

"Ar ôl tipyn o amser, daeth cyfreithiwr heibio. 'O diar,' meddyliodd, 'mae'r dyn yna wedi brifo, ond mae gen i bethau pwysig i'w gwneud dros Dduw. Fedra i mo'i helpu.'

"Yn nes ymlaen, daeth dyn o Samaria heibio. 'O diar,' meddyliodd y Samariad, 'mae'r dyn yna wedi brifo, ond mae e'n Iddew ac maen nhw'n casáu Samariaid.' Ond er hynny, stopiodd. Edrychodd ar ôl y dyn a mynd ag e i le saff.

"Nawr," meddai Iesu, "pa un o'r dynion wnaeth rywbeth pwysig iawn dros Dduw?"

Luc 10:25–37

Dwy chwaer gyfeillgar

Roedd Mair a Martha'n ddwy chwaer.

Un diwrnod, aeth Iesu a'i ffrindiau i'w cartref.

"Dewch i gael pryd o fwyd gyda ni," meddai Martha.

Roedd Martha wrth ei bodd yn coginio. Brysiodd o amgylch y lle yn paratoi llysiau, yn pobi bara ac yn coginio pryd blasus iawn. Roedd Martha eisiau i bopeth fod yn berffaith i Iesu.

Eisteddodd Mair i lawr gyda Iesu a'i ffrindiau. Roedd hi am wrando ar bopeth roedd Iesu'n ei ddweud.

Roedd Martha'n mynd yn fwy blin bob munud. "Iesu," cwynodd, "wyt ti'n meddwl ei bod hi'n deg fy mod i'n gwneud yr holl waith caled yma tra bod Mair yn eistedd yn gwneud dim? Dweda wrthi am ddod i fy helpu i."

"Martha," atebodd Iesu'n garedig, "paid â phoeni gymaint ac ypsetio. Wrth gwrs, rydw i'n falch iawn dy fod ti'n coginio'r pryd hyfryd yma i ni. Ond mae Mair yn gwybod fy mod i'n hoffi treulio amser gyda fy ffrindiau hefyd. Gadawa dy waith am 'chydig. Tyrd i eistedd yma i siarad â mi."

Luc 10:38–42

Gweddïo fel Iesu

Roedd ffrindiau Iesu eisiau gweddïo'n union fel Iesu! Ond doedden nhw ddim yn siŵr beth i'w ddweud wrth Dduw. Felly, un diwrnod dyma nhw'n holi, "Iesu, sut ddylen ni weddïo?"

"Fe wna i eich helpu chi," meddai Iesu. Felly, eisteddodd ffrindiau Iesu i lawr gydag ef a gwrando.

"Pan fyddwch chi'n gweddïo," meddai Iesu, "siaradwch â Duw fel tasech chi'n siarad ag unrhyw un arall sy'n eich caru chi – mam neu dad neu rywun sy'n gofalu amdanoch. Fyddech chi ddim yn poeni am siarad gyda'ch mam neu eich tad. Dywedwch sut ydych chi'n teimlo. Gofynnwch am y pethau rydych eu hangen. Dywedwch wrth Dduw eich bod chi'n ei garu. Diolchwch iddo am y pethau rydych wedi'u cael ganddo. Gallwch ddweud sori hefyd am unrhyw beth drwg wnaethoch chi. Mae eich Tad yn y nefoedd yn eich caru ac yn gwybod beth sydd ei angen arnoch."

A dysgodd Iesu weddi iddyn nhw ei hadrodd. Mae'n dechrau fel hyn, "Ein Tad yn y nefoedd …"

Mathew 6:8–12

Gweddi Iesu

Roedd ffrindiau Iesu am wybod mwy am sut i weddïo.

"Plîs dysga ni, Iesu," medden nhw.

Atebodd Iesu, "Dywedwch: 'Diolch, Dduw. Rwyt ti'n wych ym mhob ffordd!' "

"Beth arall ddylen ni ddweud?" holodd ei ffrindiau.

"Dywedwch: 'Plîs, rho'r pethau rydym eu hangen i ni heddiw.' Bydd Duw yn rhoi'r pethau hyn i ni," atebodd Iesu.

"Ai dyna'r cyfan y gallwn ni ei ddweud wrth Dduw?" holodd ffrindiau Iesu.

"Na," gwenodd Iesu. "Gallwn ddweud pob math o bethau wrth Dduw. Efallai yr hoffech chi ddweud, 'Mae'n ddrwg gennym ein bod ni'n gwneud pethau drwg ac yn anufuddhau.' "

"Ie," meddai ffrindiau Iesu. "Wyt ti'n meddwl y bydd Duw yn maddau i ni pan fyddwn yn dweud sori?"

"Bob tro!" cytunodd Iesu. "A bydd yn ein helpu gyda phob peth rydyn ni'n ei wneud. Gofynnwch i Dduw, 'Plîs, helpa ni i fyw i ti drwy gydol y dydd.' "

"Allwn ni weddïo'r pethau hyn nawr?" holodd ffrindiau Iesu.

"Gallwch, yn syth," meddai Iesu. "Mae Duw'n gwrando bob tro y byddwn ni'n siarad ag e."

Luc 11:2–4

Y wraig â phoen yn ei chefn

Safai Iesu yn y man cyfarfod lle byddai pobl yn mynd i siarad â Duw. Roedd llawer o bobl eraill yno hefyd, yn gwrando ar Iesu'n sôn wrthyn nhw am Dduw.

Un o'r bobl oedd yn gwrando oedd gwraig oedd â phoen ofnadwy yn ei chefn. Ers blynyddoedd lawer roedd ei chefn hi'n brifo cymaint fel na allai sefyll i fyny yn syth.

Gwelodd Iesu y wraig ac roedd yn gwybod yn union beth oedd yn bod arni. "Rwyt ti'n well nawr!" meddai Iesu wrthi.

Yna, gosododd Iesu ei ddwylo ar ei hysgwyddau. Sythodd ei chefn ar unwaith a chododd ei phen ac edrych ar Iesu!

"Diolch, o diolch!" chwarddodd y wraig yn hapus. "Mae Duw mor rhyfeddol! Mae'n dda, yn garedig ac yn gariadus. Ac mae wedi fy ngwella i!"

Luc 13:10–17

Hedyn bychan

"Aeth dyn allan i'w ardd ..." dechreuodd Iesu ar ei stori.

"Stori!" meddai ei ffrindiau. "Rydyn ni wrth ein bodd yn gwrando ar storïau Iesu."

Aeth Iesu yn ei flaen, "Roedd gan y dyn hedyn bychan, y lleiaf o'r hadau i gyd – hedyn mwstard oedd e.

"Penliniodd a gwasgu ei fys i mewn i'r pridd. Gosododd yr hedyn yn y twll bach. Rhoddodd bridd ar ben yr hedyn. Yna, rhoddodd y dyn ddŵr ar y pridd, a mynd i ffwrdd.

"Dechreuodd yr hedyn dyfu. Yn fuan, roedd coesyn gwyrdd i'w weld uwchben y pridd. Tyfodd yn uwch ac yn uwch. Dechreuodd y dail agor ac ymestyn tuag at yr haul. Roedd y coesyn wedi tyfu'n blanhigyn bychan.

"Trodd y coesyn yn foncyff tenau. Tyfodd canghennau allan ohono ac ymestyn allan. Flwyddyn ar ôl blwyddyn, aeth boncyff y goeden yn dewach a thyfodd y canghennau. Tyfodd a thyfodd – nes bod y planhigyn a dyfodd o'r hedyn bychan wedi troi i fod y goeden fwyaf yn yr ardd gyfan!"

Mathew 12:31–32

Burum

"Gafaelodd gwraig mewn ychydig o furum brown, briwsionllyd ..." dechreuodd Iesu ar ei stori.

"Stori!" meddai ei ffrindiau. "Rydyn ni wrth ein bodd yn gwrando ar storïau'r Iesu."

"... a llawer o flawd," aeth Iesu yn ei flaen. "Rhoddodd y blawd mewn powlen gyda'r burum. Yna, ychwanegodd ychydig o ddŵr a'i gymysgu'n belen o does.

"Doedd hi ddim yn gallu gweld y burum erbyn hyn, ond roedd hi'n gwybod ei fod yno. Gafaelodd yn y toes a dechrau ei dylino – gan dynnu, pwnio, ymestyn a phlygu nes bod ei breichiau'n brifo. 'Nawr,' meddai'r wraig, 'dyna fy ngwaith ar ben am y tro.'

Gosododd y toes mewn powlen mewn lle cynnes.

"Tra oedd hi'n gorffwys, roedd rhywbeth rhyfeddol yn digwydd. Tu mewn i'r toes, roedd y burum yn llenwi'r toes â swigod aer. Roedd y toes yn tyfu'n fwy ac yn fwy. Pan ddaeth y wraig yn ei hôl, roedd y toes wedi codi uwchben y bowlen. Gwenodd y wraig yn hapus. Roedd y burum wedi gwneud y toes yn barod i'w bobi'n fara."

Mae teulu Duw yn tyfu, yn union
fel y burum a'r toes.

Mathew 13:33

Dewch i'r parti!

 Dyma stori arall a adroddodd Iesu.

Un tro, roedd dyn yn trefnu parti. Roedd wedi gwahodd ei holl ffrindiau.

Pan oedd y parti'n barod i ddechrau, dywedodd wrth y gwas oedd yn ei helpu, "Dos i ddweud wrth fy ffrindiau am ddod ar unwaith."

I ffwrdd â'r gwas i ddweud wrth holl ffrindiau'r dyn am ddod i'r parti. Ond dyma nhw i gyd yn dweud, "Rydyn ni'n rhy brysur i ddod i'r parti nawr!"

Felly, daeth y gwas yn ôl at y dyn a dweud, "Does neb yn gallu dod. Mae pawb yn rhy brysur!"

Roedd y dyn yn drist. "Mae popeth yn barod," meddai. "Rydw i eisiau i lawer o bobl ddod i'r parti." Felly, anfonodd ei was allan unwaith eto i ddod o hyd i bobl dlawd, pobl wedi cael dolur, pobl drist, pobl ddigartref.

"Dewch i'r parti!" meddai. Ac roedd pawb wrth eu boddau! Roedd y dyn yn hapus hefyd. Roedd ei dŷ yn llawn a phawb yn mwynhau'r parti.

Luc 14:15–24

Golau i'r holl fyd

Roedd Iesu'n meddwl am guddio pethau. "Tasai gennych chi lamp i roi golau yn y tywyllwch," meddai wrth ei ffrindiau, "fyddech chi'n ei chuddio o dan bowlen?"

"Na fydden," medden nhw gan chwerthin. "Byddai hynny'n wirion."

"Beth fyddech chi'n ei wneud gyda'r lamp, felly?" holodd Iesu.

"Wel, ei rhoi mewn man lle gallai pawb ei gweld hi. Yna, byddai'r ystafell gyfan yn llawn o olau," meddai ei ffrindiau.

"Digon gwir," meddai Iesu gyda gwên fawr. "Mae pawb yn falch o weld y golau." Yna meddai, "Gallwch chi fod fel golau i'r byd cyfan."

Doedd ei ffrindiau ddim yn deall. "Sut allwn ni fod fel golau?"

"Os bydd rhywun yn gwneud rhywbeth da, mae pawb yn falch, yn union fel maen nhw wrth weld golau yn y tywyllwch. Yna, maen nhw'n diolch i Dduw eich bod yn garedig ac yn gariadus. Mae'r byd yn llawn hapusrwydd. Felly, gwnewch yr hyn sy'n iawn a byddwch yn olau ar gyfer yr holl fyd."

Mathew 5:14–16

Y ddafad aeth ar goll

Un tro, roedd yna fugail ac roedd ganddo lawer iawn o ddefaid. Byddai'n eu cyfri bob tro wrth iddyn nhw fynd i mewn i'r gorlan. Ond rhyw noson, roedd un ddafad ar goll. Cyfrodd y bugail eto. "98 ... 99 ..." O diar! Roedd y bugail yn gwybod y dylai fod ganddo 100 o ddefaid. Beth allai e ei wneud nawr?

Gwnaeth y bugail yn siŵr fod y defaid eraill i gyd yn saff. Yna, aeth i chwilio am y ddafad oedd ar goll. Edrychodd y tu ôl i waliau, ac ar lan yr afon, ond doedd dim golwg o'r ddafad.

Edrychodd mewn llwyni a dringodd dros greigiau, ond doedd dim golwg ohoni yn unman.

Dringodd y bugail yn uwch i fyny'r bryn. Cerddodd ar draws llwybrau caregog nes iddo glywed sŵn "Meee!" tawel. Roedd y bugail mor hapus! O'r diwedd, roedd wedi dod o hyd i'r ddafad oedd ar goll. Cododd hi ar ei ysgwyddau a'i chario adref yn saff.

Roedd y bugail yn meddwl bod pob un o'i ddefaid yn arbennig.

Mae Duw'n meddwl ein bod ni i gyd yn arbennig hefyd.

Luc 15:1–7

"Fi yw'r giât"

Meddai Iesu, "Edrychwch ar y defaid yn eu corlan. Mae'r waliau cerrig yn eu cadw'n saff dros nos. Does yr un blaidd yn gallu eu brifo. Does yr un lleidr yn gallu eu dwyn. Maen nhw mor saff ag y gallan nhw fod."

Allwch chi weld y bugail? Mae'n cysgu yn ymyl giât corlan y defaid. Dydy'r defaid ddim yn gallu dianc. Petaen nhw'n dianc, efallai y bydden nhw'n brifo neu yn mynd ar goll. Ond mae'r bugail fel giât, yn eu cadw'n saff yn y gorlan.

Yn y bore, mae'r bugail yn gadael y defaid yn rhydd o'r gorlan drwy fwlch yn y giât. Mae'n eu harwain i chwilio am laswellt blasus i'w fwyta. Mae'r bugail yn gwylio. Does dim byd yn gallu brifo'r defaid.

Gyda'r nos, mae'r bugail yn galw'r defaid. Maen nhw'n 'nabod ei lais ac yn ei ddilyn yn ôl i'r gorlan. Yna, mae'r bugail yn cysgu yn ymyl y giât fel nad oes dim byd yn gallu eu brifo. Maen nhw mor saff ag y gallan nhw fod.

Dywedodd Iesu, "Mae'r giât yn cadw'r defaid yn saff. Ac mae Duw wedi fy anfon i i gadw ei ffrindiau'n saff am byth."

Ioan 10:1–15

Y darn arian oedd ar goll

Un tro, roedd gan wraig benwisg go arbennig.

Roedd ei gŵr wedi'i rhoi'n anrheg iddi.

Un diwrnod, cwympodd un o'r darnau arian oddi ar y benwisg.

Roedd y wraig yn drist iawn. "Mae'n rhaid ei fod yma yn rhywle," meddai.

Edrychodd o dan y gwely. Edrychodd ar y bwrdd ac o dan y carped. Edrychodd ger y potiau dŵr. Edrychodd tu fewn i'r potiau coginio hyd yn oed. Edrychodd ar y silffoedd a thu ôl i'r cwpwrdd. Bu'r wraig yn chwilio ac yn chwilio ym mhob man.

Yna, aeth ati i frwshio'r llawr yn ofalus. Doedd dim golwg o'r darn arian o hyd.

Dyma'r wraig yn cynnau lamp ac yn ei thywynnu i gorneli tywyll y tŷ. Yn sydyn, gwelodd rywbeth yn disgleirio. Hwrê! Roedd hi wedi dod o hyd i'r darn arian o'r diwedd.

Roedd y wraig yn hapus! Rhedodd i ddweud wrth ei ffrindiau. "Rydw i wedi dod o hyd i'r darn arian. Dewch, beth am i ni gael parti i ddathlu!"

"Mae Duw yn meddwl eich bod chi'n werthfawr hefyd," meddai Iesu.

Luc 15:8–10

Tad cariadus

Roedd gan dad ddau fab. Roedd yn eu caru nhw'n fawr iawn.

Oedd e'n hapus? **(Oedd!)**

Penderfynodd y mab ieuengaf adael cartref.
Oedd e'n hapus? **(Oedd!)**

Roedd y tad yn colli ei fab yn fawr. Oedd e'n hapus nawr? **(Na!)**

Roedd e'n drist.

Roedd y mab yn cael amser da iawn yn gwario'i holl arian.
Oedd e'n hapus? **(Oedd!)**

Yna, un diwrnod, doedd dim arian ar ôl ganddo.
Oedd e'n hapus nawr? **(Na!)**

Roedd e'n drist.

Roedd y mab yn dlawd ac yn llwgu. Oedd e'n hapus nawr? **(Na!)**

Roedd e'n drist.

"Rydw i am fynd adref," meddai'r mab. "Rwy'n gwybod y bydd fy nhad yn flin gyda mi. Ond, efallai y caf waith ganddo." Oedd y mab yn hapus nawr? **(Na!)**

Gwelodd y tad ei fab yn cerdded tuag ato ar hyd y ffordd. Rhedodd y tad at ei fab. Oedd y tad yn drist? **(Na!)** Oedd e'n flin? **(Na!)** Oedd e'n hapus? **(Oedd!)**

Gafaelodd y tad yn dynn am ei fab. Roedd mor falch fod ei fab gartref unwaith eto, oherwydd roedd yn ei garu'n fawr iawn.

Luc 15:11–24

Iesu'n gwella pobl

Un diwrnod, pan oedd Iesu'n cerdded i Jerwsalem, gwelodd ddeg dyn. Roedd y deg dyn yn sâl iawn, a'u croen yn sbotlyd a sych. Deg dyn nad oedd neb eisiau mynd yn agos atyn nhw, rhag ofn iddyn nhw gael y salwch hefyd.

Pan welson nhw Iesu, gwaeddodd y deg dyn, "Plîs helpa ni. Plîs gwella ni."

Adroddodd Iesu weddi arbennig i wella'r deg dyn. Dywedodd wrthyn nhw am fynd i ddangos i'r offeiriad eu bod yn well. I ffwrdd â nhw, y deg dyn oedd wedi gwella erbyn hyn, i ddweud y newyddion da fod Iesu wedi'u gwella.

Yn sydyn, nid deg dyn oedd yn mynd i weld yr offeiriad, ond naw dyn. Roedd un dyn wedi troi yn ei ôl ac wedi brysio at Iesu. "Diolch!" meddai. "Diolch am fy ngwella i!

Luc 17:11–19

Mr Balch a Mr Mae'n Ddrwg Gen I

Adroddodd Iesu stori am ddau ddyn, Mr Balch a Mr Mae'n Ddrwg Gen I.

Aeth Mr Balch a Mr Mae'n Ddrwg Gen I i'r Deml i siarad â Duw.

Cerddodd Mr Balch i mewn a dweud wrth Dduw, "Mae'n rhaid dy fod ti mor falch ohonof. Dydw i ddim yn farus a dydw i byth yn dweud celwyddau. Rydw i'n cadw fy addewid bob amser ac yn rhoi llawer o arian i ti."

Edrychodd Mr Balch o'i gwmpas a gweld Mr Mae'n Ddrwg Gen I. "Diolch byth mod i ddim yn debyg i'r dyn yna," meddai wrth Dduw. "Mae'n gwneud pob math o bethau drwg." A cherddodd Mr Balch allan o'r Deml yn edrych yn falch iawn ohono'i hun.

Roedd Mr Mae'n Ddrwg Gen I yn meddwl am y pethau drwg roedd wedi'u gwneud. Roedd yn dal ei ben i lawr. Roedd e eisiau bod yn wahanol! Gweddïodd, "O Dduw, mae'n ddrwg iawn gen i am bopeth drwg wnes i."

"Dim ond Mr Mae'n Ddrwg Gen I sydd wedi plesio Duw. Roedd yn gwybod ei fod wedi gwneud rhywbeth drwg ac roedd eisiau newid. Doedd Mr Balch ddim yn meddwl fod arno angen Duw o gwbwl," meddai Iesu.

Luc 18:9–14

Iesu a'r plant

"Rydyn ni'n mynd i weld Iesu!" dywedodd y plant wrth bawb o'u cwmpas. "Rydyn ni'n mynd i weld Iesu!" medden nhw wrth eu mamau a'u tadau.

"Cyffrous iawn, yntê?" meddai eu rhieni. "Rydyn ni bron â chyrraedd."

Rhedodd y plant yn eu blaenau, yn edrych ymlaen at weld Iesu ac roedd e mor garedig ac yn adrodd storïau arbennig iawn! Ond, cyn y gallen nhw gyrraedd Iesu, dyma nhw'n cyfarfod rhyw ddynion oedd yn edrych yn gas arnyn nhw. Gwaeddodd y dynion ar y mamau a'r tadau, "Ewch â'r plant oddi yma! Mae Iesu'n rhy brysur i'w gweld nhw!"

Safodd y plant yn llonydd. Roedden nhw'n siomedig iawn. Ond roedd Iesu wedi gweld y cyfan. Stopiodd yr hyn yr oedd yn ei wneud. Galwodd Iesu ar y dynion, "Peidiwch â rhwystro'r plant. Maen nhw'n arbennig iawn. Dydw i byth yn rhy brysur i weld y plant."

Yna, daliodd Iesu ei freichiau allan a rhedodd y plant tuag ato. Gweddïodd Iesu drostyn nhw a siarad â nhw. Roedd y plant yn hapus iawn, oherwydd roedd Iesu'n falch o'u gweld.

Marc 10:13–16

Dyn ifanc cyfoethog

Rhedodd dyn cyfoethog at Iesu.

"Hoffwn i fod yn un o dy ffrindiau di," meddai. "Beth alla i wneud?"

"Cadw rheolau Duw a bod yn garedig wrth bobl eraill," atebodd Iesu.

"O, rydw i wastad wedi gwneud hynny," dywedodd y dyn cyfoethog wrtho. "Beth arall?"

"Wel," meddai Iesu, "rydw i am i ti werthu popeth sydd gennyt ti a rhoi'r arian i helpu pobl dlawd."

Edrychai'r dyn cyfoethog yn anhapus iawn. Roedd yn hoffi byw yn ei dŷ mawr, a chael dillad smart, bwyd blasus a llawer o arian. Doedd e ddim eisiau gwneud yr hyn a ddywedodd Iesu wrtho. Roedd eisiau cadw popeth iddo ef ei hun. Felly, cerddodd oddi yno. Roedd Iesu'n teimlo'n drist iawn.

"Mae'n anodd iawn i bobl gyfoethog ddod yn ffrindiau i mi," meddai Iesu, "os nad ydyn nhw eisiau rhannu popeth sydd ganddyn nhw. Mae'n llawer haws i gamel anferth wthio drwy dwll bach iawn mewn nodwydd!"

Marc 10:17–27

Dyn ar ochr y ffordd

Eisteddai dyn ar ochr y ffordd.

Roedd llawer o bobl yn rhuthro heibio iddo.

"Beth sy'n digwydd?" holodd.

"Mae Iesu'n dod," dywedodd rhywun wrtho. Roedd y dyn wedi clywed am Iesu. Roedd yn gallu gwella pobl. Byddai'r dyn wedi hoffi gweld Iesu hefyd, ond roedd yn ddall. Doedd e ddim yn gallu gweld dim. Eisteddai ar ochr y ffordd yn gobeithio y byddai pobl garedig yn rhoi digon o arian iddo i brynu bwyd.

Dechreuodd y bobl floeddio. "Mae'n rhaid fod Iesu yma," meddyliodd y dyn. Dechreuodd weiddi'n uchel, "Iesu, plîs helpa fi."

"Bydd yn dawel," meddai rhai pobl. Ond gwaeddodd y dyn yn uwch, "Iesu, plîs helpa fi."

Stopiodd Iesu. "Sut wyt ti eisiau i mi dy helpu di?" holodd.

"Rydw i eisiau gallu gweld," atebodd y dyn.

"Agor dy lygaid," meddai Iesu. A dyna wnaeth y dyn!

"Rydw i'n gallu gweld!" gwaeddodd.

"Diolch, Dduw!" meddai'r dyn. Ac aeth ar hyd y ffordd gyda Iesu, gan foli Duw a diolch iddo.

Luc 18:35–43

Iesu'r ffrind

Dyn byr iawn oedd Sacheus.

Ef oedd y person byrraf yn y pentref cyfan!

Un diwrnod, daeth Iesu i'w bentref. Daeth llawer iawn o bobl yno i'w weld. Roedd Sacheus yn edrych ymlaen yn fawr at weld Iesu hefyd. Ond doedd e ddim yn gallu gweld am ei fod yn rhy fyr. Roedd pawb arall yn y dyrfa yn dalach nag e. Beth allai ei wneud?

Edrychodd i fyny a gweld coeden – a chafodd syniad. Yn sydyn, dringodd Sacheus i fyny'r goeden i weld Iesu.

Cerddodd Iesu i mewn i'r pentref a gweld yr holl dyrfa. Edrychodd i fyny a gweld coeden a – dyna syrpréis! Yno, roedd Sacheus! "Tyrd i lawr," meddai Iesu. "Rydw i eisiau dod i dy dŷ di. Rydw i eisiau bod yn ffrind i ti."

Yn gyflym, dringodd Sacheus i lawr y goeden i weld Iesu.

Aeth Iesu i dŷ Sacheus.

A daeth Sacheus yn un o ffrindiau Iesu.

Luc 19:1–10

Sul y Blodau

Roedd Iesu'n cerdded i ddinas fawr o'r enw Jerwsalem. Dywedodd wrth ddau o'i ffrindiau, "Plîs ewch i'r pentref draw fan acw. Fe welwch chi asyn ifanc yno, wedi'i glymu yn ymyl giât. Gadewch yr asyn yn rhydd a dewch ag e ata i."

"Ond beth os wnaiff rhywun holi beth ydyn ni'n ei wneud?" gofynnon nhw.

"Dywedwch wrthyn nhw fy mod i angen benthyg eu hasyn nhw," meddai Iesu.

Felly, aeth y dynion i chwilio am yr asyn. Dyma nhw'n rhoi cotiau dros ei gefn i'w wneud yn fwy cyfforddus i Iesu eistedd arno.

Aeth Iesu ar gefn yr asyn i ddinas Jerwsalem. Roedd pobl yn bloeddio ac yn gosod eu cotiau ar lawr i greu carped o'i flaen. Dyma nhw'n torri canghennau o goed palmwydd wrth ymyl y ffordd ac yn eu chwifio yn yr awyr wrth i'r ymwelwyr fynd heibio. "Hwrê i Iesu," gwaeddodd pawb. "Hwrê i'r Brenin arbennig yr addawodd Duw y byddai'n ei anfon atom."

Marc 11:1–11

Iesu'n golchi traed

Roedd Iesu'n cael pryd o fwyd arbennig gyda'i ffrindiau.

Roedd yn gwybod mai hwn fyddai'r pryd bwyd olaf y bydden nhw'n ei gael gyda'i gilydd.

Lapiodd Iesu dywel o'i gwmpas ac arllwys dŵr i bowlen. Doedd ei ffrindiau ddim yn gwybod beth oedd Iesu am ei wneud.

Gwnaeth Iesu rywbeth arbennig iawn. Aeth at bob un o'i ffrindiau a golchi eu traed. Yna'n ofalus, sychodd eu traed gyda'r tywel.

Meddai Iesu, "Cofiwch fy mod i'n eich caru chi. Rydw i eisiau i chi garu'ch gilydd, fel rydw i'n eich caru chi. Yna, bydd pobl yn gwybod eich bod yn ffrindiau i mi."

Roedd ffrindiau Iesu'n gwybod y dylen nhw wneud yr un fath â Iesu a charu pobl eraill.

Ioan 13:1–9, 34–35

Pryd o fwyd gyda Iesu

"Mae'n Ŵyl y Pasg," meddai Iesu wrth ei ffrindiau.

"Amser ar gyfer ein pryd bwyd arbennig."

Pan oedd y bwyd yn barod, dywedodd Iesu, "Hwn yw'r pryd Pasg olaf y byddwn yn ei fwyta gyda'n gilydd. Yn fuan, bydd pethau trist iawn yn digwydd."

Gafaelodd Iesu mewn cwpanaid o win. "Diolch, Dduw," meddai. Yna, rhoddodd Iesu y cwpan i'w ffrindiau. "Pasiwch hwn o gwmpas i bawb gael llymaid ohono," meddai.

Nesaf, gafaelodd Iesu mewn torth a'i thorri'n ddarnau. "Diolch, Dduw," meddai, a'i rhoi i'w ffrindiau. "Pan fyddwch yn bwyta'r bara hwn," dywedodd wrthyn nhw, "rydw i eisiau i chi feddwl amdana i."

Ar ôl eu pryd bwyd, gafaelodd Iesu mewn cwpanaid arall o win.

"Rydw i am i chi rannu hwn," meddai. "Yn fuan, bydd rhywun yn yr ystafell hon yn dewis peidio â bod yn ffrind i mi rhagor."

Edrychodd ei ffrindiau ar ei gilydd mewn syndod. "Pwy?" dyfalai pawb.

Luc 22:7–23

Pedr yn siomi Iesu

"Iesu, bydda i'n ffrind i ti am byth," meddai Pedr. Roedd Iesu'n drist.

"Yfory," meddai, "cyn i'r ceiliog ganu ar fore newydd, byddi di wedi dweud dair gwaith nad wyt ti'n fy nabod i."

"Na!" atebodd Pedr. "Fyddwn i byth yn dweud hynny!"

Y noson honno, daeth milwyr o rywle a mynd â Iesu i ffwrdd. Aeth Pedr i weld beth oedd yn digwydd.

"Rwyt ti'n ffrind i Iesu, yn dwyt ti?" holodd merch iddo.

Roedd Pedr yn ofnus. "Na, dydw i ddim," sibrydodd.

"Rwy'n siŵr ei fod yn ffrind i Iesu," meddai'r ferch wrth ddyn arall.

"Na, dydw i ddim!" meddai Pedr.

"Wyt ti'n ffrind i Iesu?" holodd y dyn.

"NA! Dydw i ddim!" mynnodd Pedr.

Coc-a-dwdl-dŵ! Canodd y ceiliog! Roedd yn fore newydd.

A dyma Pedr yn cofio'r hyn a ddywedodd Iesu! Roedd Pedr yn drist – roedd yn caru Iesu ond roedd wedi esgus nad oedd yn ei 'nabod!

Marc 14:27–31, 66–72

Iesu'n marw

Doedd rhai pobl ddim yn hoffi clywed Iesu'n sôn am Dduw.

Dyma nhw'n anfon milwyr i fynd ag ef i ffwrdd.

Rhoddodd y milwyr groes bren fawr, drom i Iesu. Roedd yn rhaid i Iesu ei chario hi allan o'r ddinas, i ben bryn cyfagos.

Dyma'r milwyr yn rhoi Iesu ar y groes ac yn ei gosod yn y ddaear.

Aeth amser hir heibio. Roedd Iesu mewn poen mawr ar y groes. Safodd y milwyr yn agos yn gwylio. Daeth llawer iawn o bobl eraill i weld beth oedd yn digwydd.

Siaradodd Iesu â Duw. "Dad," meddai, "maddau i'r bobl yma am wneud hyn i mi. Dydyn nhw ddim yn gwybod beth maen nhw'n ei wneud."

Ac yna, bu farw Iesu.

Roedd fel petai popeth wedi dod i ben. Ond, roedd gan Dduw gynlluniau eraill. Ymhen ychydig ddyddiau, byddai rhywbeth yn digwydd – rhywbeth anhygoel a gwych a rhyfeddol. A byddai Iesu'n fyw eto, am byth!

Marc 15:21–37

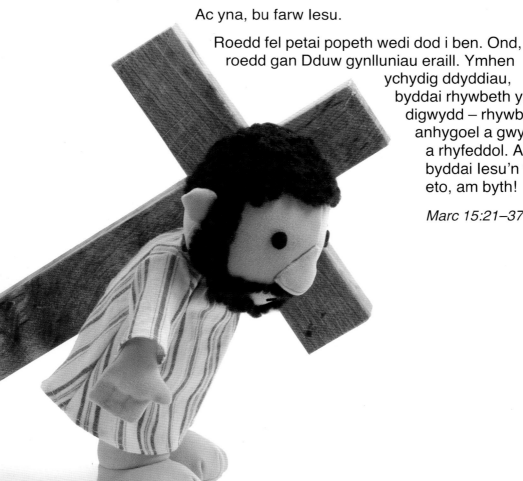

Sul y Pasg

Yn gynnar un bore, wrth i'r haul ddechrau codi yn yr awyr, aeth Mair a'i ffrindiau at y bedd lle claddwyd Iesu. Roedden nhw'n drist iawn fod Iesu wedi marw. Roedd y gwragedd yn gwybod bod carreg anferth o flaen y bedd. "Sut ydyn ni'n mynd i'w symud?" medden nhw'n bryderus.

Ond wrth iddyn nhw gyrraedd y bedd, doedden nhw ddim yn credu'r olygfa! Roedd y garreg drom wedi cael ei symud o'r fynedfa. Roedd dyn mewn dillad gwyn yn sefyll yno.

"Beth yn y byd sydd wedi digwydd?" medden nhw.

"Plîs, peidiwch â bod ofn," dywedodd y dyn wrthyn nhw. "Dyw Iesu ddim yma rhagor. Edrychwch. Dyw Iesu ddim yn farw. Mae'n fyw! Ewch yn ôl i ddweud wrth ei holl ffrindiau eraill beth sydd wedi digwydd."

Roedd Mair a'i ffrindiau mewn sioc, ond roedden nhw wrth eu bodd yn clywed y newyddion gwych. Roedden nhw mor hapus fod Iesu'n fyw eto!

Marc 16:1–8

Mae Iesu'n fyw!

Doedd rhai pobl ddim yn hoffi Iesu ac eisiau cael gwared ohono.

Ddydd Gwener, bu farw Iesu.

Roedd ffrindiau Iesu'n drist iawn. Yn ofalus, dyma nhw'n gosod ei gorff mewn bedd a rholio carreg ar draws y fynedfa.

Fore Sul, aeth Mair a'i ffrindiau at y bedd. Fe welson nhw ar unwaith fod y garreg wedi'i symud! Aethon nhw i mewn i'r ogof. Roedd y bedd yn wag! Dyna syrpréis! Ble roedd corff Iesu?

Yn sydyn, gwelson nhw ddau angel. Roedd y gwragedd yn ofnus, ond dywedodd yr angylion wrthyn nhw, "Dyw Iesu ddim yma. Dyw Iesu ddim wedi marw. Mae e'n fyw unwaith eto!"

Roedd Mair a'i ffrindiau wedi rhyfeddu. Dyma nhw'n rhedeg yn ôl i ddweud y newyddion da wrth ffrindiau Iesu: "Mae Iesu'n fyw unwaith eto!"

"Allith hynny ddim bod yn wir," meddai Pedr a'r gweddill. Aeth Pedr i weld drosto'i hun. Gwelodd fod y garreg wedi'i symud. Gwelodd fod yr ogof yn wag. Yn nes ymlaen, gwelodd Iesu! Yna, roedd yn gwybod yn sicr fod y stori'n wir. Roedd Iesu'n fyw!

Luc 24:1–12

Ble mae Iesu?

Roedd ffrindiau Iesu'n drist. Aeth y milwyr â Iesu i ffwrdd a'i roi ar groesbren anferth. Bu Iesu farw ar y groes. Tynnodd ffrindiau Iesu ei gorff i lawr, ei lapio mewn lliain arbennig a'i osod mewn bedd mewn ogof.

Fore Sul, aeth Mair yn ôl i'r ogof. Roedd y garreg enfawr wedi'i symud. Rhedodd i ddweud wrth ddau o ffrindiau Iesu am yr hyn roedd hi wedi'i weld. Dyma nhw'n rhedeg i'r ogof.

Tu mewn i'r ogof, gwelson nhw'r lliain roedden nhw wedi lapio Iesu ynddo. Ond doedd Iesu ddim yno.

Ble roedd Iesu? Roedd ffrindiau Iesu'n gwybod ei fod wedi marw ar y groes.

Ond doedden nhw ddim yn gwybod ei fod yn fyw eto!

Ioan 19:17–30; 20:1–10

Iesu a Mair

 Roedd Mair yn drist iawn. Roedd hi mor drist nes ei bod hi'n crio. Roedd Mair yn drist am fod Iesu wedi marw ar y groes. Doedd Mair ddim yn deall.

Doedd hi ddim yn deall pam fod corff Iesu wedi diflannu o'r bedd. Doedd Mair ddim yn gwybod lle roedd Iesu erbyn hyn. Wrth iddi grio, clywodd Mair lais yn dweud, "Pam wyt ti'n drist? Pam wyt ti'n crio?"

"Maen nhw wedi mynd â Iesu i ffwrdd," meddai, "a dydw i ddim yn gwybod ble mae e."

Trodd Mair i weld pwy oedd yno. Dyna syrpréis – Iesu oedd yno! Roedd Mair yn hapus iawn ac wrth ei bodd. Roedd Iesu'n fyw!

Dywedodd Iesu wrthi am ddweud wrth ei ffrindiau i gyd ei fod yn fyw a'i bod hi wedi'i weld. Felly, rhedodd Mair yn gyflym i ddweud wrthyn nhw. Cofiodd Mair am byth yr amser arbennig a dreuliodd hi gyda Iesu y diwrnod hwnnw!

Ioan 20:11–18

Ar y ffordd i Emaus

Roedd dau berson yn cerdded adref o Jerwsalem tuag at bentref o'r enw Emaus. Wrth iddyn nhw gerdded, daeth dyn arall atyn nhw.

"Am beth ydych chi'ch dau'n siarad?" holodd y dyn.

"Dwyt ti ddim wedi clywed beth sydd wedi digwydd?" medden nhw. "Mae Iesu wedi marw. Rydyn ni'n drist iawn. Roedd e'n ffrind i ni."

Gwrandawodd y dyn yn ofalus ar bopeth a ddywedodd y ddau arall. Siaradodd â nhw am Iesu a'r hyn y mae'r Beibl yn ei ddweud amdano.

Erbyn iddyn nhw gyrraedd Emaus, roedd hi bron iawn yn nos.

"Dewch i aros yn ein tŷ ni heno," meddai'r ddau ffrind.

Cyn iddyn nhw fwyta eu swper, gweddïodd y dyn. Yna, cododd y dorth o fara a'i thorri'n ddau ddarn. Edrychodd y ddau ffrind ar ei gilydd, wedi rhyfeddu. Dyna oedd Iesu bob amser yn ei wneud!

Yn sydyn, roedden nhw'n gwybod – Iesu oedd e! Ond doedd dim golwg ohono!

Gadawodd y ddau ffrind y pryd bwyd ar y bwrdd, gan redeg allan drwy'r drws a rhuthro yr holl ffordd yn ôl i Jerwsalem. "Mae'n wir!" medden nhw wrth ffrindiau Iesu. "Mae Iesu'n fyw. Rydyn ni wedi'i weld!"

Luc 24:13–35

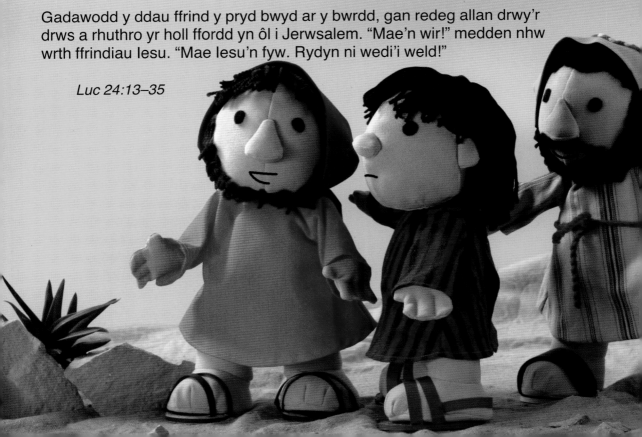

Yn nes ymlaen y Sul hwnnw

Roedd y rhan fwyaf o ddilynwyr Iesu'n drist iawn. Doedden nhw ddim yn gwybod bod Iesu'n fyw unwaith eto. "Mae Iesu'n fyw!" meddai Mair wrthyn nhw'n hapus. "Tydy hynny'n wych?"

Ond doedd y dilynwyr ddim yn credu Mair. "Rydych chi'n breuddwydio," medden nhw.

Yna, brysiodd dau o'r dilynwyr i'r ystafell.

"Ddyfalwch chi byth pwy rydyn ni newydd ei weld?" gwaeddodd un ohonyn nhw. "Ar ein ffordd adref, dyma ni'n cyfarfod dyn ac yn ei wahodd i'n cartref. Yna, wrth iddo ddiolch i Dduw am y bwyd yr

oedden ni am ei fwyta, dyma ni'n sylweddoli, yn sydyn, pwy oedd e. Iesu! Rydyn ni wedi rhedeg yr holl ffordd yma i ddweud wrthych chi. Dyna i chi newyddion gwych, yntê!"

Ond doedd y dilynwyr ddim yn credu'r peth o hyd.

Yn nes ymlaen, pan oedden nhw'n bwyta pryd o fwyd, cyrhaeddodd Iesu ei hun. "Pam nad oeddech chi'n credu'r hyn glywsoch chi?" holodd.

Nawr roedd y dilynwyr yn gwybod bod y cyfan yn wir. Roedd Iesu'n fyw! Roedden nhw wedi'i weld â'u llygaid eu hunain. "Diolch, Dduw," medden nhw i gyd.

Marc 16:9–20

Iesu'n cyfarfod â'i ffrindiau

Roedd ffrindiau Iesu'n sgwrsio. Roedden nhw'n credu bod Iesu wedi marw, ond nawr roedd pobl yn dweud ei fod yn fyw unwaith eto. Yn sydyn, dyma nhw'n gweld Iesu'n sefyll o'u blaenau!

"Helô," meddai Iesu.

Roedd ei ffrindiau'n ofnus iawn. "Ysbryd!" gwaeddodd un ohonyn nhw.

"Na, fi sydd yma go iawn!" meddai Iesu wrthyn nhw. "Edrychwch ar fy nwylo a nhraed i. Cyffyrddwch nhw. Fyddech chi ddim yn gallu gwneud hynny taswn i'n ysbryd."

Roedd y ffrindiau wedi cael sioc! "Iesu, ti sydd yma go iawn!" gwaeddon nhw.

Roedden nhw'n hapus iawn o wybod bod Iesu'n fyw eto.

"Rydw i'n llwgu," meddai Iesu. "Oes gennych chi fwyd i mi, os gwelwch yn dda?"

Aeth ei ffrindiau ati i goginio pysgod iddo ac yna ei wylio'n eu bwyta. "Mae'n rhaid bod Iesu'n real," medden nhw wrth ei gilydd. "Mae'n gallu bwyta bwyd."

"Gwrandewch yn ofalus," meddai Iesu. "Mae 'na rywbeth rydw i eisiau i chi ei wneud. Rhaid i chi sôn wrth bawb am yr hyn sydd wedi digwydd. Rydw i am i bawb yn y byd wybod fy mod i'n fyw."

Gwnaeth ei ffrindiau yr union beth ddywedodd Iesu wrthyn nhw.

A dyna sut rydyn ni'n gwybod bod Iesu'n fyw.

Luc 24:36–49

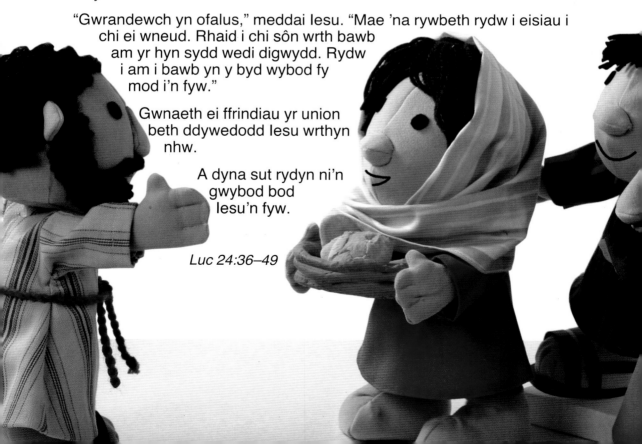

Iesu a Tomos

Roedd Tomos mewn penbleth. Bu'n ffrind i Iesu a gwelodd ef yn marw ar y groes. Nawr, roedd rhai o ffrindiau Iesu'n dweud ei fod yn fyw eto. "Rydyn ni wedi'i weld," medden nhw. "Roedd e yno," medden nhw eto. "Rydyn ni wedi'i gyffwrdd."

Ond roedd Tomos yn gwybod nad oedd yn bosib i rywun fod yn fyw ar ôl iddyn nhw farw. Felly, dywedodd, "Dydw i ddim yn eich credu chi."

Yna, un noson, roedd ffrindiau Iesu wedi dod at ei gilydd. Roedd Tomos yno hefyd. Wrth iddyn nhw siarad, clywodd lais yn dweud, "Tomos."

Edrychodd Tomos i fyny a gweld Iesu! Roedd Iesu'n sefyll o'i flaen. Roedd Iesu'n fyw! Roedd Iesu'n real!

Safodd Tomos ar ei draed a chyffwrdd dwylo Iesu. "Fi sydd yma, Tomos," meddai Iesu.

"Rydw i'n credu nawr," meddai Tomos. Roedd yn gwybod mai Iesu oedd hwn, a'i fod yn fyw go iawn!

Ioan 20:19–31

Pysgod i frecwast

Un noson, aeth Pedr a'i ffrindiau i bysgota yn eu cwch. Buon nhw'n brysur yn pysgota drwy'r nos, ond doedden nhw ddim wedi dal yr un pysgodyn!

Roedd yr haul yn machlud. Fe welson nhw ddyn yn sefyll ar y traeth. Gwaeddodd y dyn, "Ydych chi wedi dal unrhyw bysgod?" "Dim un!" medden nhw.

"Beth am drio taflu eich rhwyd i ochr arall y cwch?" awgrymodd y dyn.

A dyna wnaethon nhw – ac yn sydyn, roedd y rhwyd yn llawn o bysgod! Roedd yna gymaint o bysgod, doedden nhw ddim yn gallu codi'r rhwyd i'r cwch.

"Mae'n rhaid mai Iesu ydy'r dyn yna!" meddai un o'r dynion mewn syndod.

Doedd Pedr ddim yn gallu aros i'r cwch gyrraedd y lan. Neidiodd i'r dŵr a nofio at y traeth. Ie, Iesu oedd yno!

"Dewch â 'chydig o bysgod gyda chi," meddai Iesu. "Beth am i ni gael brecwast gyda'n gilydd?"

Ac fe gawson nhw frecwast bendigedig, ar y traeth, gyda Iesu.

Ioan 21:1–14

Ffrindiau unwaith eto

Roedd Pedr yn drist iawn am iddo ddweud nad oedd Iesu'n ffrind iddo. Yna, dyma rywbeth gwaeth fyth yn digwydd. Cafodd Iesu ei ladd. Roedd e wedi marw, a doedd Pedr ddim yn gallu dweud sori wrtho a dweud ei fod yn dal am fod yn ffrind iddo.

Yna, gwnaeth Duw rywbeth arbennig! Roedd Iesu'n fyw eto!

Aeth ffrindiau eraill Pedr a Iesu i bysgota. Aeth Iesu i'w cyfarfod nhw ar y traeth a dyma nhw'n cael brecwast gyda'i gilydd. Roedd pawb mor hapus fod Iesu'n fyw. Ond a allai Pedr a Iesu fod yn ffrindiau eto?

"Wyt ti'n fy ngharu i?" gofynnodd Iesu i Pedr.

"Ydw!" meddai Pedr.

"Wyt ti'n fy ngharu i?" holodd Iesu unwaith eto.

"Ydw!" meddai Pedr.

"Wyt ti'n fy ngharu i?" holodd Iesu am y trydydd tro.

A dyma Pedr yn ateb, "Ydw!" deirgwaith.

Gwenodd Iesu, "Rydw i dal dy angen di i'm helpu i wneud gwaith Duw."

Erbyn hyn, roedd Pedr yn gwybod fod Iesu'n ei garu a'i angen fel ffrind arbennig o hyd.

Ioan 21:15–19

Mae Iesu gyda ni

Mae ffrindiau Iesu'n hapus.

Ond maen nhw braidd yn drist hefyd.

Maen nhw'n hapus am eu bod nhw'n ffrindiau i Iesu ac wedi gweld y pethau arbennig a wnaeth Iesu. Mae Iesu wedi gwella pobl sâl, ac adrodd storïau am garu ein gilydd; mae wedi dweud wrth bobl faint y mae Duw yn eu caru. Gwelodd ffrindiau Iesu ef yn marw ar y groes ac roedden nhw wedi cyfarfod ag ef pan ddaeth yn ôl yn fyw.

Ond mae ffrindiau Iesu braidd yn drist am fod Iesu wedi mynd yn ôl i'r nefoedd, a dydyn nhw ddim yn gallu ei weld rhagor.

Mae ffrindiau Iesu'n gwybod bod angen iddyn nhw fynd i sôn wrth bawb am Iesu. Maen nhw'n gwybod hefyd fod Iesu wedi addo eu helpu nhw i wneud hynny. Mae holl ffrindiau Iesu'n hapus am fod Iesu wedi addo bod gyda'i ffrindiau i gyd heddiw.

Mathew 28:20

Iesu'n mynd i'r nefoedd

"Rydw i'n gorfod yn mynd i ffwrdd yn fuan," meddai Iesu.

"Ble wyt ti'n mynd?" holodd ei ffrindiau.

"Rydw i'n mynd yn ôl i fyw gyda Duw y Tad yn y nefoedd," atebodd Iesu.

"Beth amdanom ni?" holodd pawb.

"Arhoswch yn Jerwsalem," meddai Iesu wrthyn nhw. "Fydda i ddim gyda chi, ond byddaf yn anfon rhywun arall i'ch helpu chi. Cofiwch am y gwaith rydw i wedi gofyn i chi ei wneud. Dywedwch wrth bawb, ym mhob man, fy mod i'n fyw."

Gweddïodd Iesu dros ei ffrindiau.

Yna, gadawodd Iesu nhw. Edrychodd ei ffrindiau i fyny i'r awyr nes iddo ddiflannu. "Mae Iesu wedi mynd," medden nhw wrth ei ffrindiau, "ond, un diwrnod, byddwch yn ei weld eto."

Roedd y ffrindiau'n hapus. Er na allen nhw weld Iesu, roedd e yno gyda nhw o hyd mewn ffordd arbennig.

Yn union fel ag y mae yma gyda ni.

Luc 24:50–53; Actau 1:1–11

Yn gynnar un bore

Un diwrnod, dywedodd Iesu wrth ei ffrindiau, "Rydw i'n gorfod mynd i ffwrdd yn fuan, ond bydd Duw'n anfon rhywun arall atoch, a bydd gyda chi bob amser." Arhosodd y ffrindiau yn Jerwsalem. Roedden nhw'n meddwl tybed pryd byddai'r person yma'n dod. Sut berson fyddai e?

Ymhen ychydig wythnosau, roedd llawer o ffrindiau Iesu gyda'i gilydd mewn ystafell. Yn sydyn, dyma nhw'n clywed llais a sŵn tebyg i wynt yn chwythu. Roedd y sŵn ym mhob man o'u cwmpas. Roedd rhywbeth arbennig yn digwydd.

Nesaf, gwelodd y ffrindiau rywbeth tebyg i fflamau bychain yn dawnsio uwchben pennau'r bobl. Ond doedden nhw ddim yn boeth fel fflamau arferol.

Yna, dyma pawb yn dechrau siarad ieithoedd gwahanol. Roedd y bobl o wledydd eraill yn rhyfeddu gan eu bod yn gallu deall yr hyn roedd y ffrindiau'n ei ddweud.

Cyn hir, sylweddolodd y ffrindiau fod Duw wedi anfon ei Ysbryd Glân i'w helpu nhw. Yr Ysbryd Glân oedd y person roedd Iesu wedi addo ei anfon i fod gyda nhw.

Ioan 14:15–16; Actau 2:1–4

Cerdded, neidio a moli Duw

Roedd Pedr ac Ioan ar eu ffordd i'r Deml i weddïo.

Fe welson nhw ddyn yn eistedd wrth ymyl y drws. Doedd e ddim yn gallu cerdded. Roedd ei ffrindiau'n ei gario yno bob dydd.

Roedd dyn yn dal powlen allan o'i flaen. Roedd yn gobeithio y byddai Pedr ac Ioan yn rhoi ychydig o'u harian iddo i brynu bwyd. "Mae'n ddrwg gen i, does gen i ddim arian, ond gallaf gynnig rhywbeth arall i ti," meddai Pedr.

"Creda fi. Yn enw Iesu, cod ar dy draed a cherdded," meddai Pedr wrtho.

Siglodd y dyn fysedd ei draed a symud ei figyrnau. Doedd ei goesau ddim yn teimlo'n sigledig erbyn hyn – roedden nhw'n gryf!

Safodd y dyn ar ei draed. "Edrychwch!" gwaeddodd. "Rwy'n gallu cerdded!"

Roedd pawb eisiau gwybod sut y digwyddodd hyn. "Ai ti yw'r dyn sy'n eistedd wrth ymyl drws y Deml o hyd?" holodd pawb.

"Ie," meddai gan chwerthin, "ond edrychwch arna i nawr!"

"Rhoddodd Duw y pŵer i ni ei wella," eglurodd Pedr.

Actau
3:1–10

Siarad am Iesu

 Doedd Pedr ac Ioan ddim yn gallu stopio siarad am Iesu. "Mab Duw ydy Iesu," medden nhw. "Bu Iesu farw ar y groes ond, ar ôl tri diwrnod, daeth yn fyw unwaith eto. Mae hynny'n wych!"

Gwrandawodd llawer o bobl ar yr hyn a ddywedodd Pedr ac Ioan. Roedden nhw eisiau i Iesu fod yn ffrind iddyn nhw hefyd.

Roedden nhw wedi rhyfeddu bod y dyn a arferai eistedd o flaen y Deml yn gallu cerdded a rhedeg a neidio erbyn hyn. "Mae'n rhaid bod eich Duw chi'n arbennig iawn," medden nhw wrth Pedr ac Ioan, "os ydy e'n gallu gwneud pethau rhyfeddol fel'na!" Roedden nhw am ddysgu mwy am Dduw.

Ond roedd rhai pobl bwysig yn flin. Doedden nhw ddim yn hoffi Pedr ac Ioan yn sôn am Iesu. Dyma nhw'n eu taflu i mewn i'r carchar.

Y diwrnod wedyn, cafodd Pedr ac Ioan eu gollwng yn rhydd o'r carchar – ac roedden nhw'n dal i siarad am Iesu!

Gweddïodd Pedr ac Ioan ar Dduw. "Plîs, helpa ni i fod yn ddewr pan fyddwn ni'n siarad amdanat ti gyda phobl. Rydyn ni am i bawb gael gwybod pa mor arbennig wyt ti."

Actau 4:1–4, 23–31

Dewis Steffan

Roedd Steffan yn teimlo'n drist. Roedd rhai o'r gwragedd yn yr eglwys yn dweud, "Dydy hyn ddim yn deg!"

"Beth sy'n bod?" holodd Steffan.

"Mae'r gwragedd eraill yna'n cael mwy o fwyd na ni," medden nhw. "Mae ein plant yn llwgu." Ac i ffwrdd â nhw i ofyn i'r arweinwyr eglwysig rannu'r bwyd yn fwy teg.

Galwodd yr arweinwyr bawb at ei gilydd. "Rydyn ni'n rhy brysur i rannu'r bwyd," medden nhw. "Mae'n rhaid i ni weddïo a sôn wrth bobl am Iesu – dyna y mae Duw am i ni ei wneud."

Roedd Steffan yn gwybod bod gweddïo a siarad am Dduw yn bwysig. Roedd Duw gydag arweinwyr yr eglwys pan oedden nhw'n gwneud hynny, ond roedd rhannu'r bwyd yn deg yn bwysig hefyd.

"Mae'n rhaid i ni gario 'mlaen i weddïo a phregethu, ond beth am ddewis saith o bobl i rannu'r bwyd?" meddai arweinwyr yr eglwys.

Cytunodd pawb, a'r person cyntaf i gael ei ddewis oedd Steffan! Dyma arweinwyr yr eglwys yn gweddïo gyda Steffan a gofyn i Dduw fod gydag e wrth rannu'r bwyd yn deg.

Actau 6:1–7

Philip

Un o ffrindiau Iesu oedd Philip. Un diwrnod, dywedodd angel wrtho, "Dos at ffordd y tu allan i Jerwsalem." Doedd Philip ddim yn gwybod pam fod angen iddo fynd yno, ond fe wnaeth yr hyn a ddywedodd yr angel wrtho.

Gwelodd Philip ddyn pwysig mewn cerbyd rhyfel. Roedd yn darllen.

"Brysia!" meddai Duw. "Dos i siarad â'r dyn."

Doedd Philip ddim yn gwybod pam fod angen iddo siarad â'r dyn, ond aeth draw ato. "Wyt ti'n deall yr hyn wyt ti'n ei ddarllen?" holodd Philip.

"Nac ydw," atebodd y dyn. "Alli di fy helpu i?"

Dringodd Philip i'r cerbyd rhyfel. Roedd y dyn yn darllen am y person arbennig roedd Duw am ei anfon. "Iesu yw'r person hwnnw," dywedodd Philip wrtho.

"Hoffwn i fod yn ffrind i Iesu," dywedodd y dyn. Felly, dyma Philip yn dweud hanes Iesu wrth y dyn. Roedd yn gwybod erbyn hyn pam fod Duw wedi'i anfon i'r lle arbennig hwnnw.

Actau 8:26–40

Aeneas a Dorcas

Roedd Pedr yn teithio o gwmpas yr ardal yn sôn wrth bawb am Iesu. Aeth i dref o'r enw Lyda a chyfarfod dyn o'r enw Aeneas. Doedd Aeneas ddim yn gallu cerdded na symud ei freichiau. Am wyth mlynedd, doedd e ddim wedi gallu codi o'i wely.

Pan gyrhaeddodd Pedr dŷ Aeneas, aeth at Aeneas gan ddweud, "Mae Iesu wedi dy wella di. Saf ar dy draed." Cododd Aeneas o'i wely a cherdded. Roedd y bobl wedi rhyfeddu!

Teithiodd Pedr i dref arall o'r enw Jopa. Roedd gwraig o'r enw Dorcas wedi bod yn byw yno. Roedd Dorcas yn un dda iawn am wnïo ac roedd wedi

gwneud dillad ar gyfer pawb yn y dref. Roedd pawb yn caru Dorcas am ei bod hi mor garedig.

Ond pan gyrhaeddodd Pedr y dref, roedd Dorcas wedi marw. Aeth Pedr i'r ystafell lle roedd Dorcas. Cerddodd tuag ati a dweud, "Mae Iesu wedi dy wella di. Saf ar dy draed." Cododd Dorcas o'i gwely a cherdded. Roedd y bobl wedi rhyfeddu!

Actau 9:32–43

Cornelius

Roedd y Capten Cornelius yn filwr Rhufeinig pwysig iawn. Roedd yn ddyn caredig hefyd, yn caru Duw ac yn rhannu ei arian gyda phobl dlawd.

Un prynhawn, gwelodd y Capten Cornelius angel. Roedd wedi rhyfeddu. "Anfona rai o dy filwyr i chwilio am Pedr," meddai'r angel. "Gofynna iddo ddod i dy dŷ di."

Felly, anfonodd Cornelius ei filwyr gyda neges i Pedr.

Roedd Pedr wedi cael breuddwyd hefyd. Yn y freuddwyd, roedd Duw wedi dweud wrtho nad oedd ots o ba wlad rydych yn dod, na pha liw yw eich croen. Mae Duw yn caru pawb 'run fath.

Roedd Pedr eisiau cyfarfod â Chapten Cornelius a chlywed popeth am yr angel a welodd.

Yna, dywedodd Pedr hanes Iesu wrth y Capten Cornelius a'i holl ffrindiau a'i deulu. "Mae Duw'n ein caru ni i gyd," meddai Pedr. "Bu Iesu farw er mwyn i ninnau fod yn rhan o deulu Duw."

Actau 10

Pedr

Doedd y Brenin Herod ddim yn hoffi gweld Pedr yn adrodd hanes Iesu wrth bawb.

Taflodd Pedr i'r carchar.

Dywedodd y brenin wrth ei filwyr, "Rhowch gadwynau am ddwylo a thraed Pedr! Gwyliwch bob drws! Peidiwch â gadael iddo ddianc."

Ond roedd ffrindiau Pedr o fewn teulu Iesu'n gweddïo y byddai Duw'n gofalu am Pedr – a dyna wnaeth Duw!

Un noson, pan oedd Pedr yn cysgu'n drwm, disgleiriodd golau llachar. Cwympodd y cadwynau oddi ar freichiau a choesau Pedr. "Deffra a gwisgo'n sydyn," meddai'r angel. Gwnaeth Pedr hynny. Gadawodd yr angel i Pedr fynd heibio i'r milwyr ac allan o'r carchar. I ddechrau, roedd Pedr yn meddwl ei fod yn breuddwydio. Aeth i'r tŷ lle gwyddai y byddai ei ffrindiau'n gweddïo. "Agorwch y drws!" gwaeddodd. "Fi sydd yma, Pedr."

Yna, roedd pawb yn gwybod bod Duw wedi gofalu am Pedr, fel y gofynnwyd iddo wneud.

Actau 12: 4–17

Paul yn cyfarfod Iesu

Doedd Paul ddim yn un o ddilynwyr Iesu.

Doedd e ddim yn nabod Iesu. Roedd yn casáu Iesu.

Ond er hynny, roedd Duw gyda Paul.

Roedd Paul ar ei ffordd i Ddamascus – tref fawr lle roedd llawer o ffrindiau Iesu'n byw. "Fe gaf i wared ohonyn nhw," meddyliodd. "Rhoddaf nhw i gyd yn y carchar a'u rhwystro nhw rhag siarad am Iesu."

Ond er hynny, roedd Duw am i Paul fod yn ffrind iddo.

Cerddodd Paul oddi yno gyda dynion eraill. Yn sydyn, fflachiodd golau llachar o'i gwmpas. Cwympodd i'r ddaear a chlywodd lais yn dweud, "Paul, pam wyt ti'n trio fy mrifo i?"

Iesu oedd yno! "Dos i Ddamascus," meddai Iesu. "Byddi di'n dod i wybod beth sydd angen i ti ei wneud nesaf yno."

Roedd Paul yn wahanol nawr. Roedd wedi cyfarfod Iesu. Doedd e ddim yn casáu Iesu rhagor. Roedd yn ei garu. Doedd e ddim eisiau cael gwared o ffrindiau Iesu chwaith, erbyn hyn. Roedd e am fod yn ffrind i Iesu hefyd!

Hyd yn oed pan oedd Paul yn casáu Iesu, roedd Duw gydag e, ac am fod yn ffrind iddo.

Actau 9:1–19

Barnabas yn helpu Paul

Roedd Barnabas wrth ei fodd yn teithio. Hwyliodd ar draws y môr o'i gartref ar ynys Cyprus, i Jerwsalem. Roedd Duw yno gydag e. Clywodd Barnabas am Iesu a daeth yn aelod o'r eglwys. Roedd eisiau i bawb wybod am Iesu, felly gwerthodd un o'i gaeau a rhoi'r holl arian i arweinwyr yr eglwys.

Yn Jerwsalem, dyma Barnabas yn cyfarfod Paul. Edrychai Paul yn drist. "Wnaiff arweinwyr yr eglwys ddim gadael i mi ymuno â'r eglwys," meddai Paul. "Maen nhw'n meddwl fy mod i'n dal i gasáu Iesu."

Aeth Barnabas i weld arweinwyr yr eglwys. Roedd Duw gyda Barnabas, a helpodd ef i ddweud wrth arweinwyr yr eglwys faint oedd Paul yn caru Iesu.

"Mae croeso i Paul ymuno â'r eglwys, felly," medden nhw.

Yna, aeth Barnabas gyda Paul i dref arall. Roedd Duw gyda Barnabas yno hefyd. Dewiswyd Barnabas a Paul i fynd i deithio. Roedden nhw'n gallu sôn am Iesu wrth bawb ym mhobman roedden nhw'n mynd.

"Beth am fynd i Gyprus yn gyntaf," meddai Barnabas. "Bydd Duw gyda ni, ble bynnag yr awn ni."

Actau 4:36–37; 9:26–30; 13:1–5

Lydia'n ymuno â'r eglwys

Roedd Lydia'n wraig gyfoethog. Roedd ganddi dŷ mawr, gweision i'w helpu hi ac arian i brynu dillad smart. Roedd hi'n gwerthu defnydd porffor i bobl gyfoethog eraill, felly enillai gyflog da. Er ei bod hi'n gyfoethog, doedd Lydia ddim yn hapus. Roedd hi eisiau rhywbeth mwy na hynny. Felly, bob dydd Sadwrn, byddai'n mynd i lawr at yr afon gyda ffrindiau i weddïo. Roedd Lydia'n gwybod bod Duw gyda hi. Roedd hi'n gwybod hefyd bod angen iddi ddod i 'nabod Duw.

Un diwrnod, wrth iddyn nhw weddïo wrth ymyl yr afon, daeth rhyw ddynion draw.

"Gawn ni weddïo gyda chi?" gofynnodd y dynion.

"Wrth gwrs!" meddai Lydia. "Beth yw eich henwau?"

"Paul ydw i," meddai un o'r dynion. "Fy ffrind, Barnabas, ydy hwn."

Dyma Paul a Barnabas yn adrodd hanes Iesu wrth y gwragedd. Ar unwaith, roedd Lydia'n gwybod beth oedd arni ei eisiau. "Rydw i eisiau 'nabod Iesu," meddai.

"Plîs, arhoswch yn fy nghartref i. Roedd Duw gyda mi ac rydych chi wedi fy helpu i wybod beth ro'n i ei angen fwyaf – sef Iesu," meddai Lydia wrth Paul a Barnabas.

Actau 16:11–15

Paul a Silas

Eisteddai Paul a Silas mewn cell dywyll a thamp. Doedden nhw ddim wedi gwneud unrhyw beth o'i le. Yr unig beth wnaethon nhw oedd sôn wrth bobl am Iesu. Doedd rhai pobl ddim yn hoffi hynny, felly dyma nhw'n carcharu'r ddau.

Rhoddwyd Paul a Silas mewn cadwynau, ond buon nhw'n gweddïo ac yn canu i Dduw drwy'r nos. Yn sydyn, dechreuodd y gell ysgwyd. Agorodd drysau'r carchar led y pen. Cwympodd cadwynau Paul a Silas i ffwrdd, a chadwynau'r carcharorion eraill hefyd. Deffrodd ceidwad y carchar yn sydyn a gweld beth oedd yn digwydd – roedd yn ofnus iawn.

Gwelodd Paul a Silas hyn. "Paid â phoeni," medden nhw. "Mae'r holl garcharorion yn dal yma."

Sylweddolodd ceidwad y carchar fod Paul a Silas yn bobl dda. Roedd yn gwybod eu bod wedi cael eu gollwng yn rhydd oherwydd eu bod yn ffrindiau gyda Iesu. Gofynnodd i Paul a Silas sôn wrth ei deulu am gariad Duw. Y noson honno, daeth ceidwad y carchar a'i holl deulu'n ffrindiau i Iesu.

Actau 16:23–40

Paul a'i ffrindiau newydd

Teithiodd Paul o dref i dref, yn adrodd hanes Iesu. Un diwrnod, dyma Paul yn cyfarfod dyn o'r enw Acwila a'i wraig, Priscila. Roedd Acwila a Priscila'n caru Iesu hefyd.

"Tyrd i aros yn ein cartref ni," meddai Acwila wrth Paul. "Gallwn ni weithio gyda'n gilydd."

Felly dyma Paul, Priscila ac Acwila'n cydweithio, gan wneud pebyll o ledr cryf. Ac roedd Paul, Priscila ac Acwila'n sôn am eu ffrind, Iesu, wrth bawb oedd yn mynd heibio.

Yn fuan iawn, roedd pobl eraill am fod yn ffrindiau i Iesu.

Wedi ychydig o amser, cyhoeddodd Paul ei bod hi'n bryd iddo symud i le newydd. "Hoffen ni ddod gyda ti i adrodd hanes Iesu wrth bawb," meddai Priscila ac Acwila wrtho.

A dyna ddigwyddodd! Teithiodd y tri i ddinas arall. Ac yno, fe wnaethon nhw fwy o ffrindiau newydd – ffrindiau iddyn nhw a ffrindiau i Iesu.

Actau 18:1–23

Paul ar daith

Roedd Paul ar ei ffordd i ddinas Jerwsalem. "Rydyn ni wedi bod yn gwrando ar Dduw," meddai rhai o'i ffrindiau. "Dywedodd wrthon ni y byddi di mewn perygl yn Jerwsalem. Paid â mynd, plîs!"

Ond dywedodd Paul, "Rydw i hefyd wedi gwrando ar Dduw. Rydw i'n gwybod y bydda i mewn perygl, ond rhaid i mi weithio dros Iesu. Mae'n rhaid i mi fynd."

Neidiodd Paul ar gwch a hwylio i ffwrdd tuag at Jerwsalem. Ar ei daith, dyma fe'n cyfarfod â mwy o ffrindiau. "Rydyn ni wedi bod yn gwrando ar Dduw. Mae'n dweud y bydd pobl Jerwsalem yn dy glymu di ac yn dy roi yn y carchar!" medden nhw.

"Rydw i'n gwybod!" meddai Paul. "Ond mae'n rhaid i mi weithio dros Iesu. Fe fydda i'n ofalus. Ond mae'n rhaid i mi fynd."

Roedd holl ffrindiau Paul yn gweddïo drosto. Ac roedd Paul yn gwybod, hyd yn oed petai pethau drwg yn digwydd iddo, y byddai Duw gydag ef ac yn ei helpu i fod yn ddewr.

Actau 21:1–16

Paul mewn perygl

Roedd nai Paul yn poeni'n fawr.

Roedd wedi clywed bod dynion cas eisiau brifo'i Ewythr Paul.

"Be alla i 'neud?" meddyliodd nai Paul. "Sut alla i helpu Ewythr Paul?"

Aeth i weld pennaeth y milwyr Rhufeinig.

"Plîs, syr," meddai. "Mae dynion cas yn mynd i frifo fy Ewythr Paul."

"Mi wna i eu rhwystro nhw," addawodd y dyn, "gad di bopeth i mi."

Yn hwyr iawn y noson honno, a hithau'n dywyll, dywedodd pennaeth y milwyr wrthyn nhw am fynd i nôl ceffyl er mwyn i Paul gael teithio arno. Yna, safodd yr holl filwyr gyda Paul – rhai o'i flaen, eraill y tu ôl iddo, rhai i un ochr a'r lleill i'r ochr arall. Aethon nhw â Paul yn bell, bell i ffwrdd i le saff, lle nad oedd y dynion cas yn gallu'i frifo.

Roedd Duw wedi cadw Paul yn saff.

Actau 23:12–33

Paul yn siarad am Iesu

Roedd Paul yn y carchar. Yna fe gymerwyd ef i weld y brenin. Enw'r brenin oedd Agripa. Roedd llawer o bobl bwysig eraill yno hefyd. "Pa beth drwg wyt ti wedi'i wneud?" holodd y Brenin Agripa.

"Dim," meddai Paul. "Rydw i'n siarad â phobl ac yn sôn wrthyn nhw am Iesu. Doedd rhai pobl ddim yn hoffi mod i'n siarad am Iesu. Felly, dyma nhw'n fy nhaflu i'r carchar."

"Wel," meddai'r Brenin Agripa. "Dyweda fwy wrtha i am Iesu."

Felly, dyma Paul yn sôn wrth y brenin am daith y bu arni ryw dro.

"Yn sydyn," meddai Paul, "gwelais olau llachar. Disgleiriodd yn fy llygaid, a doeddwn i ddim yn gallu gweld neb na dim! Siaradodd Iesu â mi. Ers hynny, rydw i wedi newid. Ar un adeg, doeddwn i ddim yn hoffi ffrindiau Iesu chwaith, ond nawr rydw innau'n un o ffrindiau Iesu. Rydw i eisiau i bawb arall fod yn ffrind i Iesu hefyd."

Meddyliodd y Brenin Agripa tybed oedd yr hyn a ddywedodd Paul am Iesu yn wirionedd.

Actau 26:12–32

Mae Paul yn saff

Roedd Paul, ei ffrindiau, a llawer o bobl eraill mewn cwch yng nghanol y môr. Cododd storm fawr – chwythodd y gwynt, rholiodd y tonnau'n uchel iawn ac ysgydwodd y cwch yn ffyrnig.

"Byddwn ni i gyd yn boddi!" gwaeddodd y bobl.

"Na, fe fyddwn ni'n iawn," meddai Paul yn bendant. "Mae Duw wedi dweud wrtha i y byddwn ni'n saff."

Ond ni thawelodd y storm! Ni allai neb weld ai dydd ynte nos oedd hi! Yna, c-r-a-sh! Roedd y cwch yn sownd ar wely tywod – ond roedd tir sych gerllaw.

Dywedodd capten y cwch wrth bawb beth i'w wneud. "Neidiwch i'r dŵr a nofio i'r lan," meddai. "Os na allwch chi nofio, gafaelwch mewn darn o bren sy'n arnofio ar wyneb y dŵr."

A dyna wnaethon nhw. Roedd y cwch wedi'i chwalu, ond roedd pawb yn saff. Roedd Duw wedi gofalu amdanyn nhw. Yn union fel y dywedodd Paul y byddai'n ei wneud.

Actau 27:1, 13–44

Paul yn ysgrifennu llythyrau

Un tro, roedd Paul yn byw yn ninas fawr Rhufain. Roedd yn lle pwysig iawn, ac yn llawn o bobl bwysig. Ond welodd Paul mo'r ddinas o gwbl – roedd yn cael ei gadw fel carcharor mewn tŷ.

Doedd e ddim wedi gwneud unrhyw beth o'i le. Ond bu'n siarad am Iesu a doedd rhai pobl ddim yn hoffi ei fod yn gwneud hynny, felly dyma nhw'n ei gloi mewn ystafell.

Er hyn, roedd Paul yn dal i sôn am Iesu! Doedd e ddim yn gallu mynd allan i siarad â phobl, ond gallai ysgrifennu atyn nhw! A dyna ddigwyddodd. Ysgrifennodd at ei ffrindiau, rhai fel Philemon. Ysgrifennodd at grwpiau o bobl, fel yr eglwys mewn lle o'r enw Effesus. Adroddodd Paul hanes Iesu wrthyn nhw a dweud sut y gallen nhw fyw yn ffordd Duw. Gofynnodd iddyn nhw gario 'mlaen i siarad am Iesu ac i ddal i'w ddilyn e – oherwydd does dim yn well na chael bod yn ffrind i Iesu!

Effesiaid 6:18–23

Epaffroditus

Roedd Paul wrth ei fodd yn ysgrifennu llythyrau at bobl. Ysgrifennai am yr anturiaethau roedd yn eu cael wrth sôn wrth bobl am Iesu. Dyma un stori am lythyr a ysgrifennodd.

Roedd Paul wedi bod yn adrodd wrth bobl am hanes Iesu. Roedd Epaffroditus wedi dod o Philipi i helpu Paul. Roedd y ddau ohonyn nhw'n gweithio'n galed iawn.

Aeth Epaffroditus yn sâl – mor sâl nes bu bron iawn iddo farw, ond dyma Duw yn ei wella. Penderfynodd Paul y dylai Epaffroditus roi'r gorau i weithio a mynd adref i Philipi lle roedd ei ffrindiau. Felly, ysgrifennodd Paul lythyr at ei ffrindiau. Dywedodd wrthyn nhw fod Epaffroditus yn llawer gwell ac y byddai'n dod yn ôl i Philipi. Gofynnodd iddyn nhw roi croeso arbennig iawn i Epaffroditus, a gofalu amdano nes ei fod yn gwbl iach.

Philipiaid 2:25–30

Philemon

Dyma stori arall am un o lythyrau Paul – llythyr at Philemon ynglŷn â'i was, Onesimus.

Mae Onesimus yn llawer rhy ddiog i helpu Philemon. Mae mor ddiog, dydy e ddim yn gwneud y pethau mae Philemon yn gofyn iddo eu gwneud, ac felly mae Philemon yn gwylltio. Un diwrnod, mae Onesimus yn rhedeg i ffwrdd o dŷ Philemon, i dref ymhell, bell i ffwrdd. Yno, mae'n cyfarfod â Paul.

Mae Onesimus wrth ei fodd yn clywed storïau Paul am Iesu. Mae e mor gyffrous, mae'n dod yn ffrind i Iesu. Mae Onesimus yn gweithio'n galed i helpu Paul i sôn wrth bobl am Iesu.

Mae gan Onesimus ormod o ofn mynd yn ôl i dŷ Philemon.

Felly, mae Paul yn penderfynu ysgrifennu llythyr. Mae'n dweud wrth Philemon fod Onesimus yn flin iawn am yr hyn a wnaeth. Mae Paul yn gofyn i Philemon faddau i Onesimus ac yn gofyn iddo wneud Onesimus yn ffrind iddo, yn lle gwas. Ar ddiwedd y llythyr, mae Paul yn dweud ei fod yn siŵr y bydd Philemon yn gwneud popeth mae'n ei ofyn iddo.

Philemon

Llythyr at Timotheus

"Helô, Timotheus!" Paul sy 'ma. Rydw i wedi bod yn meddwl llawer amdanat ti. Rydw i wedi bod yn gweddïo drosot ti hefyd. Byddwn wrth fy modd yn cael dy weld di eto. Byddai hynny'n fy ngwneud i'n hapus iawn!

"Rydw i wedi bod yn meddwl am Eunice, dy fam, a Lois, dy fam-gu/nain. Maen nhw'n ffrindiau i Iesu, fel tithau. Rwyt ti'n gwybod bod Duw yn dy helpu di i fyw yn ei ffordd ef. Paid â bod ofn. Gwna bopeth mae Duw am i ti ei wneud.

"Pan oeddet ti'n fachgen bach, dysgaist sut i fyw yn ffordd Duw, drwy ddarllen llyfr Duw, y Beibl. Rwyt ti'n nabod Iesu ac wedi credu ynddo erioed. Felly, paid â bod ofn. Gwna bopeth mae Duw am i ti ei wneud.

"Pan wyt ti'n darllen llyfr Duw, y Beibl, mae'n dy helpu di i ddeall sut i wneud y pethau da. Felly, paid â bod ofn. Gwna bopeth mae Duw am i ti ei wneud. Cofia dy fod yn byw yn ffordd Duw. Dyna a ddysgais i ti. Paid â bod ofn. Gwna bopeth mae Duw am i ti ei wneud."

2 Timotheus 1:3–10; 3:14–17

Iesu arbennig!

Ioan ydy fy enw i!

Rydw i wedi gweld Iesu!

Mae Duw wedi dangos llun o Iesu i mi, mewn breuddwyd.

Roedd Iesu'n disgleirio! Roedd ei lygaid yn llachar fel fflam dân. A'i wyneb mor llachar a disglair â'r heulwen. Roedd yn dal sêr yn ei ddwylo!

Roedd ei draed yn gryf, fel metel gloyw, glân. Roedd ei wallt yn feddal, fel gwlân pur, cynnes. Roedd ofn arna i! Roedd yn wych a rhyfeddol! Yna, dyma Iesu yn cyffwrdd ynof i a diflannodd fy ofnau.

"Gwranda, rwy'n fawr ac yn bwerus. Ond rwy'n dy garu di. Byddaf yn gofalu amdanat am byth," meddai Iesu.

Do, rydw i wedi gweld Iesu! Mae e mor wych! Yr unig beth rydw i am ei wneud nawr yw gweiddi, "Diolch, Dduw!"

Datguddiad 1

Dinas Duw

Ioan ydy fy enw i!

Cefais freuddwyd.

Roedd angel yn mynd â fi ar daith. Ar gopa rhyw fryn, gwelais ddinas fawr. Roedd y ddinas yn hardd iawn, oherwydd roedd wedi'i gwneud o aur.

Roedd y waliau wedi'u gorchuddio â cherrig disglair, prydferth, o bob lliw – coch, gwyrdd, glas, porffor, melyn a du. Roedd y ddinas gyfan yn disgleirio.

Aeth yr angel â mi i mewn. Roedd y palmentydd, lle cerddais i, wedi'u gwneud o aur disglair. Llifai nant drwy'r ddinas. Roedd y coed i gyd yn llawn o ffrwythau blasus i'w bwyta. Roedd yn rhyfeddol!

"Mae hwn yn lle arbennig iawn, lle mae Duw yn frenin," dywedodd yr angel wrtha i. "Un diwrnod, bydd pawb sy'n caru Duw yn dod yma i fyw hefyd. Mae'n olau dydd bob amser, a'r peth gorau ydy, fydd 'na ddim tristwch, byth! Fydd neb yn sâl nac yn marw."

"Anhygoel!" meddyliais. "Hoffwn i fyw yno."

Datguddiad 21–22

"Y mae Duw yn noddfa ac yn nerth

i ni, yn gymorth parod mewn cyfyngder.

Felly, nid ofnwn ..."

o Salm 46:1–2

ALLWEDD I'R HEN DESTAMENT

Genesis 1:1–8	Duw'n creu golau ac awyr	12
Genesis 1:9–13	Duw'n creu tir, môr a phlanhigion	13
Genesis 1:14–19	Duw'n creu sêr a phlanedau	14
Genesis 1:20 – 2:4	Duw'n creu anifeiliaid	16
Genesis 2:5–25	Y bobl gyntaf	18
Genesis 2	Yng ngardd Duw	20
Genesis 3	Gadael gardd Duw	21
Genesis 6:9–22	Noa'n adeiladu cwch	22
Genesis 7:1–8:12	Noa a'r dilyw mawr	23
Genesis 8:13 – 9:17	Noa a'r enfys	24
Genesis 12:1–9	Bywyd newydd i Abraham	25
Genesis 13	Lle newydd i Abraham fyw	26
Genesis 18:1–15	Teulu newydd i Abraham	28
Genesis 21:1–8	Teulu newydd i Abraham	28
Genesis 24:1–67	Isaac a Rebeca	29
Genesis 25:19–34	Jacob ac Esau	30
Genesis 27:1–45	Jacob ac Esau	30
Genesis 28:10–22	Duw'n siarad â Jacob	31
Genesis 29:1–35	Jacob yn mynd yn ôl adref	32
Genesis 32:1–33:20	Jacob yn dychwelyd adref	32
Genesis 37:1–11	Joseff a'i frodyr	34
Genesis 37:12–36	Joseff yn mynd i'r Aifft	36
Genesis 41	Gwaith pwysig Joseff	37
Genesis 42:1–13	Joseff yn helpu ei deulu	38
Genesis 45:1–13	Joseff yn helpu ei deulu	38
Exodus 2:1–10	Baban mewn basged	39
Exodus 3:1–17	Duw'n siarad â Moses	40
Exodus 4:18–20	Duw'n siarad â Moses	40
Exodus 12:15–28	Pryd bwyd i'w gofio	42
Exodus 14:1–29	Croesi'r Môr Coch	43
Exodus 16; 17:1–7	Byw yn yr anialwch	44
Exodus 19:16–20:17	Rheolau Duw	45
Exodus 33:7–23	Moses yn cyfarfod Duw	46
Exodus 34:1–9, 29–35	Moses yn cyfarfod Duw	46
Josua 1:1–9	Josua'n arwain pobl Dduw	47
Josua 3:1 – 4:9	Croesi'r afon	48
Josua 6:1–20	Waliau Jericho	50
Barnwyr 6:11–16, 33–40	Duw'n dewis Gideon	51
Barnwyr 7:1–22	Gideon yn gwrando ar Dduw	53
Barnwyr 4:1–10, 23–24	Debora	54
Ruth 1	Naomi a Ruth	55
Ruth 2–4	Ruth a Boas	56
1 Samuel 1: 9–20	Geni Samuel	58
1 Samuel 3	Samuel ac Eli	59
1 Samuel 8:4–9	Samuel yr arweinydd	60
1 Samuel 9:15–17	Samuel yr arweinydd	60
1 Samuel 10:1, 17–27	Samuel yr arweinydd	60
1 Samuel 16:1–13	Dafydd y bugail ifanc	62
1 Samuel 17:12–50	Dafydd a Goliath	64
1 Samuel 18:1–5	Dafydd a Jonathan	66
1 Samuel 20	Dafydd mewn trwbwl	67
1 Samuel 24	Dafydd a'r Brenin Saul	68
2 Samuel 5–6	Dafydd yn dathlu	70
2 Samuel 12	Camgymeriad mawr Dafydd	71
1 Brenhinoedd 3:1–15	Solomon yn gofyn am ddoethineb	72
1 Brenhinoedd 5:1–6:1	Solomon yn adeiladu i Dduw	73
1 Brenhinoedd 8:1–13, 54–66	Solomon yn moli Duw	74

1 Brenhinoedd 17: 1–7	*Duw'n bwydo Elias*	76
1 Brenhinoedd 17: 8–16	*Duw'n helpu teulu*	77
1 Brenhinoedd 18	*Duw'n dangos ei bŵer*	78
1 Brenhinoedd 19: 1–18	*Duw'n siarad ag Elias*	80
2 Brenhinoedd 4:1–7	*Eliseus yn helpu teulu tlawd*	81
2 Brenhinoedd 4:8–10	*Cartref i Eliseus*	82
2 Brenhinoedd 5:1–19	*Eliseus a Naaman*	83
2 Brenhinoedd 6:8–23	*Duw'n siarad ag Eliseus*	84
2 Brenhinoedd 18:13–19:37	*Ffydd Heseceia yn Nuw*	85
2 Brenhinoedd 20:1–11	*Heseceia ac Eseia*	86
2 Brenhinoedd 22:1–13	*Joseia'n frenin!*	88
2 Brenhinoedd 23:1–3	*Joseia'n frenin!*	88
2 Brenhinoedd 23:1–23	*Joseia'n darllen llyfr Duw*	90
Salm 19	*Duw yn creu'r haul*	15
Salm 23	*Cân Dafydd*	63
Salm 104	*Duw'r crëwr*	11
Salm 136:1–9	*Geiriau hyfryd yn y Beibl!*	116
Salm 139	*Mae Duw yn fy 'nabod*	17
Salm 150	*Moli Duw!*	87
Jeremeia 18:1–12	*Jeremeia'n gweld crochenydd*	92
Jeremeia 31:1–6	*Jeremeia'n prynu cae*	94
Jeremeia 32:1–15	*Jeremeia'n prynu cae*	94
Jeremeia 36	*Jeremeia a'r sgrôl*	95
Jeremeia 38:1–13	*Jeremiah i lawr y pydew*	96
Eseciel 34	*Duw'n siarad ag Eseciel*	97
Eseciel 37	*Eseciel a Duw*	98
Daniel 1	*Bywyd newydd Daniel*	99
Daniel 2	*Breuddwyd y brenin*	100
Daniel 3	*Ffrindiau Daniel*	102
Daniel 6	*Daniel yn gweddïo ar Dduw*	104
Esther 1–4	*Esther hardd*	105
Esther 5–10	*Esther yn achub pobl Dduw*	106
Jona 1–2	*Jona'n rhedeg i ffwrdd*	108
Jona 3–4	*Jona'n ufuddhau i Dduw*	109
Nehemeia 1:1–2:10	*Nehemeia'n mynd adref*	110
Nehemeia 2:11–3:32	*Nehemeia'n adeiladu i Dduw*	111
Nehemeia 4:1–6:14	*Nehemeia mewn trwbwl*	112
Nehemeia 9:38–10:39	*Nehemeia'n arwain y ffordd*	114
Nehemeia 12:27–43	*Nehemeia'n arwain y ffordd*	114

ALLWEDD I'R TESTAMENT NEWYDD

Mathew 1:18–23	*Neges i Joseff*	123
Mathew 2:1–12	*Neges i'r dynion doeth*	128
Mathew 3:13–17	*Ioan yn bedyddio Iesu*	132
Mathew 5:14–16	*Golau i'r holl fyd*	186
Mathew 6:5–7	*Iesu'n siarad â Duw*	139
Mathew 6:8–12	*Gweddïo fel Iesu*	178
Mathew 7:24–27	*Iesu'r storïwr*	154
Mathew 8:1–4	*Iesu'n gwella dyn*	146
Mathew 8:5–13	*Iesu'n helpu milwr*	150
Mathew 8:23–27	*Iesu'n tawelu'r storm*	162
Mathew 9:9–13	*Dyn wrth ei waith*	149
Mathew 10:1–4	*Iesu'r arweinydd*	152
Mathew 13:31–32	*Hedyn bychan*	181
Mathew 13:33	*Burum*	182
Mathew 13:44	*Trysor wedi'i guddio*	160
Mathew 13:45–46	*Perl hardd*	161
Mathew 15:21–28	*Gwraig anghenus*	170
Mathew 15:32–29	*Iesu'n bwydo llawer o bobl*	172
Mathew 28:20	*Mae Iesu gyda ni*	218
Marc 1:16–20	*Cyfarfod Iesu*	136
Marc 1:29–34	*Yn nhŷ Pedr*	138
Marc 1:35–37	*Iesu'n siarad â Duw*	139
Marc 1:40–45	*Dyn yn dioddef o'r gwahanglwyf*	140
Marc 3:1–6	*Dyn â llaw wedi'i niweidio*	147
Marc 4:1–9	*Stori'r hadau*	158
Marc 4:26–29	*Plannu a thyfu*	159
Marc 5:21–43	*Jairus a'i ferch*	164
Marc 6:45–52	*Mae Iesu'n arbennig*	168
Marc 8:27–30	*Pedr yn nabod Iesu*	173
Marc 9:2–13	*Disgleiria, Iesu!*	174
Marc 10:13–16	*Iesu a'r plant*	194
Marc 10:17–27	*Dyn ifanc cyfoethog*	195
Marc 11:1–11	*Sul y Blodau*	199
Marc 14:27–31, 66–72	*Pedr yn siomi Iesu*	204
Marc 15:21–37	*Iesu'n marw*	205
Marc 16:1–8	*Sul y Pasg*	206
Marc 16:9–20	*Yn nes ymlaen y Sul hwnnw*	212
Luc 1:5–25, 57–66	*Y baban Ioan*	119
Luc 1:26–38	*Neges i Mair*	120
Luc 1:46–55	*Cân Mair*	122
Luc 2:1–6	*Neges i Joseff*	123
Luc 2:1–7	*Geni Iesu*	124
Luc 2:7–21	*Neges i'r bugeiliaid*	126
Luc 2:22–38	*Simeon ac Anna*	127
Luc 2:41–51	*Iesu'r bachgen*	130
Luc 4:1–13	*Iesu yn yr anialwch*	133
Luc 4:16–21	*Newyddion da yn y Beibl*	134
Luc 5:17–26	*Dyn oedd yn methu cerdded*	148
Luc 7:11–17	*Iesu'n helpu gwraig*	156
Luc 7:36–50	*Dynes ac anrheg ganddi*	157
Luc 10:25–37	*Iesu'n dweud stori*	175
Luc 10:38–42	*Dwy chwaer gyfeillgar*	176
Luc 11:2–4	*Gweddi Iesu*	179
Luc 13:10–17	*Y wraig â phoen yn ei chefn*	180
Luc 14:15–24	*Dewch i'r parti!*	184
Luc 15:1–7	*Y ddafad aeth ar goll*	187
Luc 15:8–10	*Y darn arian oedd ar goll*	190
Luc 15:11–24	*Tad cariadus*	191
Luc 17:11–19	*Iesu'n gwella pobl*	192
Luc 18:9–14	*Mr Balch a Mr Mae'n Ddrwg Gen I*	193
Luc 18:35–43	*Dyn wrth ochr y ffordd*	196
Luc 19:1–10	*Iesu'r ffrind*	198

Luc 22:7–23	Pryd o fwyd gyda Iesu	202
Luc 24:1–12	Mae Iesu'n fyw!	208
Luc 24:13–35	Ar y ffordd i Emaus	211
Luc 24:36–49	Iesu'n cyfarfod â'i ffrindiau	214
Luc 24:50–53	Iesu'n mynd i'r nefoedd	220
Ioan 2:1–11	Iesu'n mynd i briodas	137
Ioan 3:1–21	Ymwelydd fin nos	141
Ioan 4:3–30	Dynes yn nôl dŵr	142
Ioan 4:43–54	Dyn mewn angen	144
Ioan 5:1–17	Dyn wrth ymyl y pwll	145
Ioan 6:1–15	Bara i bawb	165
Ioan 7:10–39	Dŵr yn rhoi bywyd	166
Ioan 8:12	"Fi yw'r goleuni"	167
Ioan 9:1–12, 35–38	"Fi yw'r goleuni"	167
Ioan 10:1–15	"Fi yw'r giât"	188
Ioan 13:1–9, 34–35	Iesu'n golchi traed	200
Ioan 14:15–16	Yn gynnar un bore	221
Ioan 19:17–30	Ble mae Iesu?	209
Ioan 20:1–10	Ble mae Iesu?	209
Ioan 20:11–18	Iesu a Mair	210
Ioan 20:19–31	Iesu a Tomos	215
Ioan 21:1–14	Pysgod i frecwast	216
Ioan 21:15–19	Ffrindiau unwaith eto	217
Actau 1:1–11	Iesu'n mynd i'r nefoedd	220
Actau 2:1–4	Yn gynnar un bore	221
Actau 3:1–10	Cerdded, neidio a moli Duw	222
Actau 4:1–4, 23–31	Siarad am Iesu	224
Actau 4:36–37	Barnabas yn helpu Paul	233
Actau 6:1–7	Dewis Steffan	226
Actau 8:26–40	Philip	227
Actau 9:1–19	Paul yn cyfarfod Iesu	232
Actau 9:26–30	Barnabas yn helpu Paul	233
Actau 9:32–43	Aeneas a Dorcas	228
Actau 10	Cornelius	230
Actau 12:4–17	Pedr	231
Actau 13:1–5	Barnabas yn helpu Paul	233
Actau 16:11–15	Lydia'n ymuno â'r eglwys	234
Actau 16:23–40	Paul a Silas	235
Actau 18:1–23	Paul a'i ffrindiau newydd	236
Actau 21:1–16	Paul ar daith	238
Actau 23:12–33	Paul mewn perygl	239
Actau 26:12–32	Paul yn siarad am Iesu	240
Actau 27:1,13–44	Mae Paul yn saff	242
Effesiaid 6:18–23	Paul yn ysgrifennu llythyrau	243
Philipiaid 2:25–30	Epaffroditus	244
Philemon	Philemon	246
2 Timotheus 1:3–10	Llythyr at Timotheus	247
2 Timotheus 3:14–17	Llythyr at Timotheus	247
Datguddiad 1	Iesu arbennig!	248
Datguddiad 21–22	Dinas Duw	249

Beibl
newydd
y plant

Ydych chi wedi mwynhau'r llyfr hwn?

Ewch i: *www.ysgolsul.com* i weld rhestr lawn o lyfrau ac adnoddau Cyhoeddiadau'r Gair ar gyfer plant ifanc, gan gynnwys dewis eang o feiblau lliw i blant o bob oed.